JN268441

The Power of NOW
A Guide to Spiritual Enlightenment
Eckhart Tolle

さとりをひらくと
人生はシンプルで楽になる

飯田史彦＝監修
エックハルト・トール＝著
あさりみちこ＝訳

徳間書店

THE POWER OF NOW:

A Guide to Spiritual Enlightenment

by Eckhart Tolle

Copyright©1999 by Eckhart Tolle

Japanese translation published by arrangement with
New World Library c/o InterLicense, Ltd. through
The English Agency (Japan) Ltd.

監修者の言葉

福島大学経済学部助教授　飯田史彦

人間の人生観や「生きがい」の研究を行っている私が、本書の監修をお受けすることに決めたのは、著者による次の言葉を目にした瞬間でした。

「本書を執筆するうえで、わたしが特に心がけたのは、できるだけ、宗教色の薄い用語を使うことです。そうすれば、さまざまな宗教的バックグラウンドを持つ人々の心に、本書が響くだろうと考えたからです。その意味で、本書は『普遍的な魂の教え、あらゆる宗教のエッセンスを統合し、現代向けに書き改めた書』だと、みなしていただいてかまいません。」

この言葉を読んだ瞬間、私は、本書が、宗教的観念への抵抗感が強い大多数の日本人にとって、「心待ちにしていた内容」であることを直感しました。そして、実際に本書を読み進めるにつれて、その直感が、確信へと変わっていったのです。

「さとりをひらくためには、いったい、どうすればいいのだろうか？」

「神様のような大いなる存在とは、どのような存在なのだろうか？」

「抑えられない自分の感情を、どうやってコントロールすればいいのだろうか？」

「有意義な人生を送るためには、どうすればいいのだろうか？」

「愛とは何であり、どうすれば自分や相手を愛せるようになるのだろうか？」

「過去・現在・未来という時間の正体は、どのようなものなのだろうか？」

「悩みや苦しみを手放すためには、どうすればいいのだろうか？」

「どうすれば、こんな自分でも、人を許すことができるようになるのだろうか？」

「自分のエゴや、自分を取り巻く様々な『しがらみ』から、自分を解放して楽になるためには、どうすればいいのだろうか？」


もしも、あなたがこれらの疑問をお持ちであり、しかも、いわゆる「宗教」には抵抗があるとおっしゃるならば、本書こそが、その望ましい解答のひとつを示してくれるはずです。本書はドラマティックな物語のように、「さて、次はどんな話になるのだろうか？」と、読者の興味をかきたてながら展開していきますので、ここで不用意に本書の内容に触れ、解答を暴露してしまうことは避けておきましょう。本書を読み終わった時、「ああ、私が漠然と感じていたもの、求めていた解答を、ここまで率直に、わかりやすく明文化してくれた本に、ようやく出会えた！」と、喜ぶ読者も多いはずですから。

本書を監修するにあたっては、「原著を直訳すると、哲学的な記述の多い難解な本になってしまう危険性があるため、適切な意訳を取り入れながら、わかりやすい日本語表現として文章化すること」、そして、「著者があまりにも自分を語りすぎている部分については、本書の主旨に反して教祖的イメージを与えてしまう危険性があるため、日本人にも抵抗なく読めるように、適度に抑制や削除を行うこと」という方針を立てました。そして、翻訳者による下訳の一部に、これらの方針に基づいて私がかなり手を加え、その原稿を翻訳者にお見せしたうえで、最終的な翻訳の参考にしていただきました。このような監修方針に振り回されて、翻訳者の方は相当ご苦労されたはずですが、そのおかげで、原著の文章に比べると、はるかにわかりやすい訳になったのではないかと思います。私の難しい注文を実現してくださった翻訳者のご尽力に、深く感謝申し上げます。

さあ、仏教、キリスト教、禅などの様々な教えを統合し、そこに現代的な心理学や精神医学の味付けを行い、さらに独自の解釈を加えたユニークな「人生の処方箋《しょほうせん》」を、どうぞ心ゆくまでお楽しみください。

もしも、本書を読み進めながら、「え〜っ、そんなに簡単に、うまくいくはずがないよ！」と、著者に向かってつぶやくようであるならば、あなたはもう、著者の作戦に、見事に「はまって」しまっているのです。そして、いつのまにか、ページをめくる手を、止められなくなっていることでしょう。

さとりをひらくと人生はシンプルで楽になる

——目次——

第10章 「手放すこと」って、どういうこと？ 271

装幀／鈴木成一デザイン室
装画／いとう瞳
校正／麦秋アートセンター
編集協力／えん工房
本文レイアウト／ソラデザインスタジオ

序章

この本が生まれたいきさつ

わたしはめったに過去をふりかえることはありません。過去をふりかえっても、なんの役にも立たないということを、よく知っているからです。

しかし、本書が生まれたいきさつについて、みなさんに知っていただくために、わたしの過去を、ほんの少しだけ、ふりかえってみましょう。

三十歳になるまで、わたしは、たえまのない不安やあせりに、苦しんでいました。自殺を考えてしまうことも、たびたびでした。いまになってみると、まるで、その頃の自分の生活は、見知らぬ他人の人生か、自分の過去生のようにさえ思えるのですから、おかしなものです。

わたしが二十九歳になってまもない、ある晩のことでした。夜中に目を覚ますとわたしに「絶望のどん底だ」という思いが、おそいかかってきました。こんな気持ちになることは、当時のわたしにとって、珍しいことではありませんでしたが、この時ばかりは、ふだんにもましてその絶望感は強烈でした。

死んだように静まりかえった夜に、暗闇《くらやみ》の中で、ぼんやりとうかびあがる家具の輪郭《りんかく》、遠くからかすかに聞こえてくる、汽車の音……なにもかもが不自然で、氷のように冷たく感じられました。そして、あらゆるものの存在が、無意味なことのように思われました。この世のすべてを、呪《のろ》ってやりたいほどでした。

しかも、このわたし自身こそが、もっとも無価値な存在のように感じていました。

「こんな悲惨な人生を歩むことに、いったい、なんの意味があるというのか？　どうして、これほど苦しみながら、生きていかなければならないのか？」

わたしの中にある「生きよう」という本能は、「もう存在したくない、いっそのこと消えてしまえたらいいのに」、という悲痛な願いに押しつぶされていたのです。わたしの頭の中を、「こんな自分と生きていくなんて、まっぴらごめんだ！」という思いが、ぐるぐると回っていました。

すると突然妙なことに気づいたのです。

「自分はひとりなのか、それともふたりなのだろうか？」

こんな自分と生きていくのが嫌だとすると、『自分』と『自分が一緒に生きていきたくないもうひとりの自分』という、ふたりの自分が存在することになります。そこでわたしは自分に言い聞かせました。

「きっと、このうちのひとりが、『ほんとうの自分』なのだ」

この時、わたしは、頭の中でつぶやいていたひとり言が、ピタリとやんでしまうという奇妙な感覚に、ハッとしました。

わたしの意識はしっかりしていましたが、わたしの思考は「無《む》」の状態でした。次の瞬間、わたしは、まるで竜巻のような、すさまじいエネルギーのうずに引きよせられていきました。それは、最初はゆっくりで、次第に速度を増していきました。わたしはわけがわからず、恐怖でガタガタと震《ふる》えはじめました。

その時「抵抗してはなりません」というささやきが胸に飛びこんできたのです。すると、なぜか、恐れは消え去りました。わたしが観念して、エネルギーのうず、「空《くう》」に身をゆだねると、わたしはみるみるうちに、その中に吸いこまれていきました。そのあと、なにが起こったのかは、まるっきり記憶にないのです。

翌朝、小鳥のさえずりに、目を覚《さ》ましました。まるで生まれてはじめて聞くかのような、美しいさえずりでした。目は閉じたままでしたが、脳裏《のうり》のスクリーンに、さんぜんと輝くダイアモンドのようなイメージが見えました。

「なるほど！　ダイアモンドに声があるとするなら、きっとこんな声に違いない！」

わたしが目を開けると、力強い朝日が、カーテンを貫いて、わたしの部屋に降り注いでいました。この時のわたしは、そのまばゆい光が「人間の英知をはるかに超えた、無限ななにか」であるということを、あたりまえのように知っていました。

「そうか、この暖《あたた》かい光は、愛そのものなんだ！」

わたしの目には、涙があふれていました。寝床から飛び起き、部屋の中を歩き回りました。ふだん見慣れているはずの部屋なのに、それまで、そのほんとうの姿を見ていなかったことに気づきました。目に映《うつ》るすべてのものが新鮮で、生まれたばかりのようでした。手当たり次第に、そこら中のものを拾いあげてみました。えんぴつ、空っぽのビンなど、あらゆるものに息づく生命と、その美しさに、ただただ驚くばかりなのです。

わたしは町へと飛びだしました。そして「生命が存在する」という奇跡に感動しながら、町を歩き回りました。見るものすべてが新鮮で、わたしは自分が、赤ん坊にでもなったような気がしました。

それから五ヶ月間は、なにものにもゆらぐことのない、深い平和と幸福に包まれた日々を送りました。五ヶ月目をすぎると、至福感《しふくかん》はやわらいできたような気がしましたが、もしかすると、その至福感こそが、いつもの状態になったので、たんに「慣れっこになった」というだけかもしれません。この感覚は、普通に社会生活をいとなむうえで、妨《さまた》げにはなりませんでした。ただし、これから先、どんなすごいことを成し遂げようと、すでにわたしの中にある「宝」が、増えたり、減ったりすることはない、ということだけはよくわかっていました。

わたしは、「なにかとてつもなく意味深くて貴重なことが、自分の身のうえに起こった」ということだけは、気づいていましたが、その現象の意味を、まったく理解していませんでした。この体験の意味を理解したのは、魂に関するたくさんの本を読み、スピリチュアルな感覚に目覚めた指導者たちと数年間過ごしたあとでした。その時、わたしははじめて、誰もが探し求めている「なにか」が、ひょんなことから自分の身に起こったのだと知りました。

運命の出来事が起こったあの夜、わたしの苦しみは、限界に達していました。そのため、わたしの意識は、「自分は不幸で、どうしようもないほどみじめなのだ」という思いを、完全に捨て去るしかありませんでした。このような思いは、もともと、思考のでっち上げにすぎません。この捨て去り具合があまりにも徹底的だったので、「にせの自分」はとつぜん空気を抜かれてしぼんだ風船のように、ぺしゃんこになってしまったのです。そこに残ったものこそが、「わたしの本質」であり、永遠の存在である「ほんとうの自分」なのでした。その時のわたしは、人間、生き物、創造物など、どんな呼び名でもくくることのできない純粋な「意識」でした。

その後、わたしが当時「空《くう》」だとみなした時空、すなわち生死を超えた次元に、自分の意志ではいりこみ、意識を保ったままでいることもできるようになりました。この状態は言葉にできないほどの幸福感と神聖さに満ちており、さきにお話しした夜の体験とは、比べものにならないくらいです。

このような心の平安は、たえまなく、わたしの中で生きつづけています。そして、わたしに向かって、人々がこのように問いかけるようになりました。

「わたしも、あなたのようになりたいのです！　あなたの持っている『なにか』を、わたしにも分けてくださいませんか？　それが分かち合えるものでないならば、どうやったら手に入れられるのか、教えてください」

わたしはそのたびに、こう答えています。

「あなたはすでに『それ』を持っているんですよ！　心の平安を実感できないのは、あなたの思考の雑音が、うるさすぎるからです」

この答えが、さらに発展して、いまあなたが手にしている、一冊の本になりました。本書は、わたしがこれまで、北米やヨーロッパで、精神的な成長を求める数多くの人々と、過去十年間にわたって取り組んできたことの要点をまとめたものです（ただし、言葉には制約がありますから、本書の内容がすべてではないことを、おことわりしておきます）。

本書は、わたしがセミナーやカウンセリングなどで受けた質問をもとにしながら、質疑応答の形式で書き進めます。時おり、しばらく読むのを休み、心を静め、それまで読んだことについて、感覚的に経験しようとしてみてください。あなたが、そうしたいと感じる時には、どうぞご自由になさってください。

本書の中で、「大いなる存在」や「在《あ》ること」など、はじめのうちは、意味がよくわからない表現にぶつかるかもしれません。そんな時には、かまわず読み進んでください。また、読みながら、疑問や反論がわき上がってくることもあるでしょう。それらについては、後で説明されている場合もあれば、あなたの理解の度合いが深まるにつれ、「自分の見解こそが的外れだったのだ」と、気づく場合もあることでしょう。

本書の内容を、頭だけで理解しようとしてはなりません。あなたの感情がゆり動かされ、心の奥が「Ｙｅｓ！」と共鳴するところに、気をつけてください。わたしは、ただ、みなさんの魂がすでにご存知であるはずの真実を、お教えするだけなのです。言いかえれば、みなさんが忘れてしまっていることについて、思い出させて差し上げるだけなのです。

わたしたちの思考は、やたら「分類」や「比較」をしたがってしまいますが、本書を読む際には、できるだけ、それらを控《ひか》えてください。そのほうが、本書から得られる恩恵は、はるかに大きいことでしょう。本書で用いられている用語を、本書以外で用いられている同じ言葉と照らし合わせたりすると、混乱を招きかねません。わたしの言う「思考」「幸福」「意識」などの言葉を、ほかの人も、同じ意味で用いているとは限らないからです。

したがって、「言葉」には、こだわりすぎないようにしてください。言葉は、あなたが真実をつかむための、足がかりのようなものにすぎないからです。

本書を執筆するうえで、わたしが特に心がけたのは、できるだけ、宗教色の薄い用語を使うことです。そうすれば、さまざまな宗教的バックグラウンドを持つ人々の心に、本書が響くだろうと考えたからです。その意味で、本書は「普遍的な魂の教え、あらゆる宗教のエッセンスを統合し、現代向けに書き改めた書」だと、みなしていただいてかまいません。

本書に述べられていることは、わたしの外側から得たものではありません。わたしたちの内側にある、真実の源泉を、よりどころにしています。わたしの中に、「真実を知っている部分」があるのと同じように、あなたの中にもその部分が存在します。真実が語られた時、あなたはそれが「まぎれもない真実」であると、はっきりと「さとる」ことができるはずです。そして、「そうだ！　これこそが真実なのだ！」と叫びたくなるような、生き生きとした感覚、魂の高ぶりを覚えることでしょう。

第1章

思考は「ほんとうの自分」ではありません

第1節　あなたは、なぜ、なかなか「さとれない」のか？

問い　「さとる」って、いったいどういうことなんですか？

答え　三十年あまりも、道ばたで物乞《ものご》いをしている男がいたとします。ある日のこと、通りかかった人に野球帽を差しだすと、お決まりのせりふを口ごもりながら言いました。

「あわれな物乞いにお恵みを」

通行人は、答えました。

「あなたに差し上げられるものは、わたしにはありません。ところで、君が腰かけているその箱はなんですか？」

物乞いは、思わぬ質問に、とまどいました。

「この箱ですか？　なんてことのない、ただの古ぼけた箱ですよ。わたしは、ずっと長い間、こいつに腰かけてるんです」

そこで、通行人はたずねました。

「箱の中を開けてみたことはあるのかい？」

物乞いは、笑いました。

「いいえ、開けてみたことなんか、ありませんよ。そんなことして、なんになるんです？　どうせ中身は、空《から》っぽですよ」

通行人は、うながしました。

「とにかく、一度、開けてごらんよ！」

物乞いは、いままで座っていた箱のふたを、面倒くさそうに開けてみました。
すると、びっくり仰天《ぎょうてん》！
なんと、空っぽだと思いこんでいた箱には、黄金が、びっしりとつまっていたのです。

物乞いは、大喜び！

わたしは、このお話の中の、通行人のようなものです。あなたになにかを「与える」わけではありませんが、そのかわりに、「箱を開けてごらんなさい」とうながしているんです。ここで言う「箱」とは、「あなたの内面」という意味です。

あなたは、きっと、「わたしは物乞いなんかじゃないですよ！」と、反論なさることでしょう。しかし、ばく大な財産に恵まれていたとしても、まだ、「大いなる存在」の輝きと、心の平安という「真の富」を手にしていない人は、物乞いと同じようなものです。そのような人たちは、自分の外側に、むなしい快楽や満足感を求め、自分の存在価値や愛情を探しているものです。世界が与えてくれる、どのようなものとも比較にならないほど素晴らしい宝物が、自分の中に眠っていることに、まだ気づいていないからです。

「さとり」という言葉を聞くと、わたしたちは、「聖人君子《せいじんくんし》のみが達することのできる超人的な心境」だとか、「自分のような凡人には縁のないものだ」といった先入観を抱いてしまいがちです。しかも、あなたのエゴ（自我）も、あなたがそう解釈することを望んでいるのです。

しかし、真実は違います。「大いなる存在とひとつであること」そして「この状態を保つこと」こそが「さとり」なのです。一見すると矛盾《むじゅん》しているようですが、「大いなる存在」は、本質的に「あなた自身」であると同時に、「あなたよりもはるかに偉大な存在」なのです。それはあなたという人間の名前や外見を超えた、「ほんとうの自分」を見つけだすことである、とも言えるでしょう。この一体感を感じることができないと、「自分をとりまく世界から、自分は切り離されている」という、幻想がはじまります。そして、自分が、ぽつんと孤立した、ちっぽけなかけらのような存在にすぎないかのような、錯覚におちいります。すると不安が頭をもたげるようになり、周囲との不和や心の悩みが日常茶飯事になってしまうのです。

わたしは、ブッダによる、たいへん簡潔な「さとり」の定義が気に入っています。それは、「さとりとは、苦しみの終わりである」というものです。この定義ならば、超人的な感じがしないと思いませんか？

ただし、これは定義としては不完全です。なぜなら、「さとりでないもの」について語っているにすぎないからです。それでは、「苦しみ」が取りのぞかれたあとに、なにが残るのでしょうか？

ブッダは、これについて、沈黙しています。ブッダの沈黙は「さとりの正体は、自分で見つけだすべきですよ！」というメッセージを、含《ふく》んでいるのでしょう。わたしたちが「さとり」のことを、「凡人《ぼんじん》では到達できないゴールなのだ」と思いこんでしまわないように、わざと、定義を未完成なままにしておいたのです。しかし、ブッダのこうした配慮もむなしく、多くの仏教徒は「さとり」とはブッダのためのものであり、「自分たちには畏《おそ》れおおいものだ」と感じています。少なくとも「あの世」にいくまでは、「さとる」ことなど無理だと考えてしまっているものです。

問い　「大いなる存在」という言葉を使われましたが、どういう意味なのか、くわしく説明してくれませんか？

答え　「大いなる存在」とは、死を運命づけられた無数の生命形態を超える、唯一の「不滅の生命《いのち》」です。しかも、「大いなる存在」はあらゆる生命の奥深くに、目には見えず、絶対に滅びることのない本質として、宿っているのです。つまり、「大いなる存在」は、人間のもっとも深いところに「ほんとうの自分」として存在しており、わたしたちはそれに「つながる」ことができるのです。

ただし、このことについて「頭」（脳）を使って「考えよう」とは、しないでください。「頭」で理解できることには、限界があります。あなたの「思考」がピタリと止まっている時にこそ、わたしの言葉の意味がわかるはずです。あなたが「いまに在《あ》る」時、言いかえれば、あなたが完全に、強烈に「いま」という時に集中していれば、「大いなる存在」を感じることができるでしょう。それは、人間の頭では、理解することはできません。「大いなる存在が、自分とともにある」という感覚を保ちつづけることが、「さとり」なのです。

問い　あなたのおっしゃる「大いなる存在」というのは、神のことじゃないんですか？　それならば、どうして「神」と呼ばないんですか？

答え　「神」という言葉は、長い歴史の中で、ずっと誤解されつづけてきたため、いまではその意味がほとんどわからなくなってきていますので、わたしは、ひんぱんには使いません。

多くの人々は、この言葉の背後にある、「広大無辺《こうだいむへん》の果てしなさ」に気づかないのに、あたかも「神」を知りつくしているかのように、この言葉を使っています。「神」の存在を、思いこみから否定しているのも、これまた誤解です。このような誤解が、「わたしたちの神はほんもので、あなたの神はにせものです」といった発言や、ニーチェの有名な言葉、「神は死んだ」などを生むもとになっているのです。

「神」という言葉は、固定観念を抱かせる、きゅうくつな言葉になってしまいました。この言葉を口にした瞬間、イメージが浮かんできませんか？　「白ひげを生やした老人」とまではいかなくても、「自分以外の誰か」という発想の域を出ません。しかも、その存在は、決まって男性なのです。

「神」だけではありません。「大いなる存在」も、「その実体」を表現しきれていないところは、「神」と同じです。しかし、「大いなる存在」は、「神」に比べて柔軟性がある、というメリットがあります。目で確かめることのできない「無限の存在」にレッテルを貼って、限られた存在にしてしまわないからです。「大いなる存在」という言葉から、特定のイメージを描くのは、難しいでしょう。しかも、誰も、それをひとり占めにはできません。

「大いなる存在」こそが、「人間の本質」です。わたしたちは、それをじかに感じられるのです。「わたしは、いま、ここに、こうして、存在する！」という感覚がそれです。「わたしは○○（名前、職業など）です」という呼び名を超えた、「ほんとうの自分」に気づくことなのです。「大いなる存在」という言葉の、ほんとうの意味を理解すれば、「大いなる存在」を経験する日は、もう目の前です。

問い　「大いなる存在」を経験するのを、難しくしている原因は、なんでしょう？

答え 自分の思考を、「ほんとうの自分」だと思いこむことです。すると、思考はコントロールがきかなくなり、勝手気ままに活動してしまいます。自分の思考活動を、自分の意思でストップできないのは、たいへんな苦痛です。しかし、ほとんどの人が、この習性を持っているために、わたしたちの感覚はすっかり麻痺《まひ》してしまい、これが、ごくあたりまえのことだと思いこんでしまっているのです。ひっきりなしの思考の騒音が、「大いなる存在」とひとつになって、「心の平安」の境地に到達するのを、妨げているのです。

思考の暴走による弊害《へいがい》は、それだけにとどまりません。不安や苦しみをこしらえる「にせの自分」をも、でっち上げてしまうのです。これについては、後ほどくわしくご説明しましょう。

哲学者デカルトの名文句、「われ思う、ゆえに我あり」は、みなさんにもおなじみでしょう。彼はこの文句で、究極の真実を表現したと、確信していたに違いありません。しかし、「わたしは在る」ということを、「わたしは考える」ということと等しくする、言いかえるなら、思考活動によって、自分のアイデンティティを確立する、という初歩的な誤りをおかしているのです。

自分の思考をコントロールできない人は（ほとんどの人がそうでしょう）、「人間はみんな、はなればなれなのだ」と信じて、人生を歩いています。これを信じている人の人生には、この信念が反映されて、問題と摩擦《まさつ》が、次から次へとやってくるのです。

「さとり」とは、「すべてはひとつであり、完全である」という境地にいることです。それゆえに、「すべてとつながっていること」なのです。さらに、平和に包まれています。目に見える、「かたちある世界」はもちろん、自分の内奥《ないおう》にある、目には見えない「大いなる存在」と、ひとつになっていることです。

「さとり」は、心の葛藤《かっとう》や、人との摩擦がなくなることだけを、意味するのではありません。さとりをひらくと、もう自分の思考に、ふりまわされなくなるのです。なんて素晴らしい自由でしょう！

思考を、「ほんとうの自分」とみなしていると、レッテル、決めつけなどの「くもりガラス」を通して、世界をながめます。すると、すべてのものがゆがんで見えるため、万物《ばんぶつ》と、真の関係が築けなくなってしまうのです。わたしたちは、この「くもりガラス」を、神や仲間であるべき人間や自然に対してはもちろん、自分自身に対してさえ、使っているものです。この「くもりガラス」こそが、「すべてのものは、はなればなれである」という、幻想を生んでいるのです。「別々の衣《ころも》をまとっている」、という見かけのレベルを超えた、「自分はすべてとひとつである」という根本的な事実を、すっかり「忘れて」しまっているのです。この事実を、「信じている」人は、大勢いるでしょう。でも、これをあたりまえのことだと「知っている人」は、わずかです。信じることもなぐさめにはなるでしょうが、知っていなければ、心の底から、自由にはなれません。

思考をコントロールできないと、自分を病気にしてしまうこともあります。病気は、思考のバランスがくずれた時に、生まれているのです。思考力は、使い方次第で、人間の最高の道具になります。しかし、一歩「使い方を間違える」と、役に立たないばかりか、有害にさえなってしまうのです。より正確な表現をすると、「使い方を間違える」ではなく、「使っていない」になるでしょう。なぜなら、思考の側が、わたしたちを使っているからです。思考を「ほんとうの自分」だと思いこむことは、大きな錯覚です。本来使われるはずの道具が、主人を使ってしまうことになります。

問い　わたしも、あなたのおっしゃるように、特に目的もなく、あれこれと考えごとをすることはたしかにあります。でも、思考力を使って、目標の達成もしてきましたよ。

答え　クロスワードパズルを解くことができても、それは「思考を使っている」とは言えません。犬が骨かじりに夢中になるのと同じように、わたしたちの思考も、問題を抱えたがる傾向にあるのです。

ひとつ質問をさせてください。好きな時に、思考を止められますか？　スイッチ・オフのボタンを持っていますか？

問い　ええっ、なにも考えない状態になることですか？　ほんの一瞬なら、なんとかなるかもしれませんが、それ以上は、無理ですよ！

答え　では、思考が主人になりすまし、あなたが「しもべ」になっているのです。自分でも気づかないうちに、思考を「ほんとうの自分」だと、思いこんでいるということです。自由への第一歩は、自分の思考は、「ほんとうの自分」ではない、と気づくことからはじまります。そう気づくと、「思考を客観的にながめる」ことができるようになります。

思考を客観的にながめると、高次の意識が活動しはじめます。思考をはるかに超えた、果てしない「知性の世界」が存在することや、思考はそのごく小さな一面にすぎないことにも、気づきはじめます。さらに、「ほんとうにかけがえのないもの」が、見えはじめます。それは、思考とは別の源泉からわき上がる「美しさ」、「愛」、「創造性」、「喜び」、「心の平安」です。その時あなたは、「わたしはやっと目を覚ましたのだ！」と思うはずです。

第2節　どうしたら思考をコントロールできるのか？

問い　「思考を客観的にながめる」、というのはどういうことなのか、具体的に説明してくれませんか？

答え　あなたがもし、「頭の中で声が聞こえるんです」と、お医者さんに打ち明ければ、お医者さんはあなたに、精神科医を紹介するでしょう。でも実際には、ほとんどの人が、これと似たようなことを日常的に経験しているものです。中には、何種類もの声を聞いている人もいるでしょう。これは、ほんとうは止めることができるのに、ほったらかしにされている、人間の習性です。終わりのないひとり言、もうひとりの自分との会話と名づけてもいいでしょう。ぶつぶつとひとり言をつぶやきつづける人に、道で出くわしたことがありませんか？　実を言うと、わたしたちのおこなっている頭の中の会話も、これと大差ありません。実際に声に出すかどうかの違いだけなのです。思考は意見をする、推測する、判断を下す、比較をする、文句を言う、好き嫌いを言う、といったことを休みなく、おこなっているものです。

思考が、状況に適したことを言っているかというと、必ずしもそうとは限りません。つい最近の出来事や、はるか昔に起こった出来事を再現したり、これから起こりそうな状況のリハーサルをしていたりもします。しかも、たいていは「なにか良からぬことが起こるのではないだろうか？」という悲観的な見方をしています。これは、簡単に言うと不安です。不安は映画のようなイメージをともなうこともあります。

もちろん思考が、状況に即《そく》したことを言っている時だってあるでしょう。ただし、それが果たして有益かどうかは、また別問題です。なぜなら、思考は過去というものさしを使って、物事を判断しているからです。そのうえ、思考は、自分が属する文化特有の考え方からも、制約を受けています。このような事情から、思考は、過去の視点から現在をながめ、判断を下し、現実をすっかりゆがめてしまうのです。

思考が、本人にとって最大の敵であることも、決して珍しいことではありません。現に、たくさんの人たちが、自分自身を攻撃する、邪魔者と共存しているのです。これこそが、これまで明らかにされることがなかった、病気や不幸の原因なのです。

しかし、ここに「福音《ふくいん》」があります。わたしたちは、この思考の束縛から、自分自身を解放することができるんです。そうしてはじめて、「真の自由」を、手に入れることができます。さあ、いますぐ、最初のステップをふみ出しましょう。そのステップとは、できるかぎり、思考の「声」に耳を傾けることです。なん度もくりかえされるセリフには、特に注意を払いましょう。数年間にわたり、かけられつづけてきた「古いレコード」がないか、よく耳を澄《す》ませてください。これが、わたしの言う「思考を客観的にながめる」ことです。「頭の中の声に耳を傾ける」、「思考を見張る」と、言いかえることもできます。

この声を聞く時には、あれこれ批判せず、偏《かたよ》りのない心でおこないましょう。批判をするという行為そのものも、応戦というかたちの、「思考の声」に変わりないからです。これをしていると、「ひとり言をする『声』があって、さらに、それを聞き、観察している『ほんとうの自分』がいる」、と、だんだんわかるようになってきます。この、「『ほんとうの自分』がいる」という感覚は、思考とは別のものです。この感覚は、思考を超えた源泉から発せられているのです。

思考を客観的にながめていると、その行為をしている、「ほんとうの自分」の存在に気づきます。「ほんとうの自分」に気づくと、意識は新たなレベルに到達します。勝手気ままに活動していた思考はパワーを失い、「ほんとうの自分」のしもべになります。

これが、無意識的な思考活動を終わらせる、第一歩です。思考がおしゃべりをやめると、「無心状態」が生まれます。最初のうちは、無心状態は、ほんの数秒間しかつづかないかもしれませんが、心がけ次第で、だんだんと、長くつづくようになります。無心状態の時には「心の平安」を実感するはずです。これが、ふだんは思考の雑音によってかき消されている、「大いなる存在」との一体感なのです。この状態は、本来人間にとって、ごく自然な状態であるはずなのです。経験をつめばつむほど、平安の度合いは、よりいっそう深まっていきます。この度合いには、限界がありません。しかも、同時に自分の内奥から、魂の喜びがわき上がるのを感じるでしょう。これが「在ること」の喜びなのです。

「大いなる存在」とつながった状態を、意識を失った、恍惚《こうこつ》状態だと思いこんでいる人もいるでしょう。でも、この状態では意識がしっかりしていますから、まったく違うものです。心の平安とひきかえに、注意力が弱まって、覚醒《かくせい》レベルが低下するなら、あまり得る価値はありません。「大いなる存在」とつながっている時には、思考と一体となっている時よりも、意識はずっと鋭敏だし、きちんと覚醒しているものです。この時のわたしたちは、完全に「在る」のです。エネルギーの波動は高まり、生命力も旺《おう》盛《せい》です。東洋では、これを「無心状態」と呼んでいますが、「無心状態」にさらに深くはいると、「まったき意識」になります。このレベルに到達すると、「自分」の存在を、強烈に、しかも喜びとともに感じるので、思考、感情、肉体、外界など、あらゆるものの重要性が薄れてしまうくらいです。でも、自己中心的になるという意味ではありません。自我のない状態、つまり「無我の境地」なのです。

この状態に到達すると、それまでの「自分」の認識を超え、より壮大な「自分」の認識を持つようになります。より壮大な「自分」である、「大いなる存在」も、本質的には、わたしたちであることに変わりないのですが、それは同時に、途方《とほう》もないほどわたしたちより偉大なのです。わたしがみなさんに言っていることは、矛盾、もしくは荒唐《こうとう》無稽《むけい》と受けとられかねませんが、これ以外には、表現のしようがないのです。

「思考を客観的にながめる」以外にも、無心状態をつくる方法が、いくつかあります。意識を一〇〇パーセント「いま」に集中させて、思考活動を遮断《しゃだん》するのも、そのひとつです。意識のすべてを「いま、この瞬間」に向けてみましょう。そうすれば思考活動をストップでき、意識が鋭敏であると同時に、考えごとをしていない「無心状態」になれます。このエクササイズは、満足のいく結果をもたらすはずです。また、これが瞑想《めいそう》の極意《ごくい》でもあるのです。

このエクササイズを、日常生活の中で具体的にどうおこなっていくのかを、ご説明します。たんなる手段としておこなっている動作に、全意識を集中させるのです。すると「手段」が「目的」そのものに変わります。たとえば、家や会社で、階段をのぼりおりする時に、呼吸はもちろん、その一歩一歩に、全意識を集中させるのです。これが、「完全に『いま』に在ること」です。

手を洗う時も、同じ要領でします。行動がどんなことでも、それをする時に、自分が受ける感覚を、ひとつ残らず意識しましょう。水の音を聞き、水が手に触れた時の感触を感じ、せっけんをあわ立てている時に、その香りをかぐ、という具合です。車に乗る時も同じです。ドアを閉めたら、ほんのわずかな時間で構《かま》いませんから、じっと自分の呼吸を観察してみます。「わたしは存在する」というパワフルな感覚を楽しみましょう。

このエクササイズが成功しているかどうかを知る目安は、エクササイズをすることで得られる「心の平安」の度合いです。感じる度合いが高ければ高いほど、エクササイズがうまくいっている証拠です。

結論を言えば、さとりをひらくための、一番肝心《かんじん》なステップは、「思考を『ほんとうの自分』とみなすのをやめること」なんです。たえまなく流れている思考に「すきま」をつくるたびに、「意識の光」が輝き出します。そのうち、子供のたわいないいたずらに、思わず笑みがこぼれるのと同じように、「頭の声」を笑ってやりすごせる日がくるでしょう。これは、思考をあまり真剣に受けとめなくなっている、好ましいサインです。あなたはもう、思考によって、「自分」というアイデンティティをつくっていないのです。

第3節　「さとること」は「思考を超えること」

問い　世の中の生存競争で生き残るには、思考力は不可欠じゃないんですか？

答え　思考力はあくまでも、「道具」です。道具は、仕事をするために使うものであり、仕事が済んだあとは、片付けられなくてはなりません。ところが、わたしの見るところ、ほとんどの人の思考活動は、八〇〜九〇パーセントが堂々めぐりか、ムダなだけでなく、ネガティブな性質のために、むしろ有害でさえあるのです。ためしに、自分の思考を観察してごらんなさい。わたしの言っていることが、ほんとうだとわかりますよ。これは深刻な「生命エネルギー流出」の原因にもなります。

コントロールできない思考活動は、中毒症状の一種と呼んでも、過言ではありません。中毒症状の定義とはなんでしょう？　簡単に言えば、自分では、止めることのできない現象ではないでしょうか。要するに、なにかの対象物（人）が、自分に対して権力をにぎり、力関係が逆転してしまっていることなのです。対象物は、究極的には痛みにとって代わられる、「いつわりの快楽」を本人に与えることもあります。

問い　どうしてわたしたちは、思考活動におぼれてしまうんでしょうか？

答え　思考力によって、自分のアイデンティティを確立しているからです。別の言い方をすると、「頭の良し悪し」を、自分の存在価値を測《はか》る尺度《しゃくど》にしている、ということです。頭を使うのをやめた瞬間、自分は生きている意味がなくなると、かたくなに思いこんでいるんです。

大人になるにしたがって、わたしたちは、個人的及び社会的環境に基づいて、「わたしは誰か」、というイメージを形成していきます。この「にせの自分」は、またの名を「エゴ」と言います。エゴは、思考活動があることで、その存在が成り立っています。エゴは、たえず考えることによってのみ、生きられるのです。エゴという言葉は、人によって解釈はまちまちですが、わたしが本書で使う場合には、自分でも気づかないあいだに、思考を自分と同一視することでつくられる、「にせの自分」を意味しています。

エゴにとって「いま、この瞬間」という時は、存在しないも同然です。エゴにとっては、過去と未来がすべてだからです。エゴの世界では、真実がこのように一八〇度転倒してしまうことが、思考が正常に機能しなくなる原因なのです。エゴは過去を生かしておくことに必死です。過去がなかったら、エゴは、自分がいったい誰なのか、わからなくなってしまうからです。

エゴは先々の身の保障を確実にするために、未来の姿も、しょっちゅう気にかけています。将来、なんとか重荷から解放されよう、目標を達成しよう、と必死なのです。エゴの口グセはこんな感じでしょう。「いつの日か、〇〇が実現したら、その時はじめてわたしは『オーケー（または幸福、平和など）』になる」

エゴが一見、現在に注目しているように思えても、実際は違います。エゴはいつでも、過去というメガネを通して、現在をながめているからです。それが原因で、現実をひどくゆがめているのです。エゴは、「現在」を、ゴールに到達するまでの通過地点ととらえ、その価値を著《いちじる》しく損ねています。しかし、ゴールというものは、いつでも頭の中にしか存在しない未来に属していて、現実ではありません。

「いま、この瞬間」が、さとりをひらくことのカギをにぎっているのです。しかし、思考とひとつになっている限り、「いま、この瞬間」を見極《みきわ》めることはできないのです。

問い　物事を分析したり、識別したりできる思考力を手放すなんて、おことわりです！　もっとクリアーに、集中して考えられる方法を身につけるなら、話は別ですが。考える能力は、人間に備わる能力の中で、一番貴重なものなんです。それがなかったら、人間は動物も同然ですよ。

答え　思考力重視の傾向は、人間の意識が進化していく過程の、ひとつの段階にすぎないのです。いま、わたしたちが、次のステップに進むべき時が来ているのです。思考と意識は同意語ではありません。この違いをはっきり認識しましょう。思考は意識活動の中の、ひとつの側面なのです。意識なくしては、思考は生まれませんが、意識は存在するために、思考を必要としません。

さとりをひらくことは、思考を超えたレベルに到達することです。さとりをひらいてからでも、必要な時には、もちろん思考を使います。でも、その使い方はさとりをひらく前よりも、ずっと効率的だし、集中しています。さとりをひらいた人は、目的がある時だけ、思考力を使います。しかも、自分でコントロールできない、「頭の中の声」はなくなり、心には静けさがあります。創造的なアイディアを必要とする時には、思考が活動した状態と、ピッタリと止まった状態を、何分かおきに交互に経験するものです。これは「思考状態」と「無心状態」、とも言えます。この方法でしか、わたしたちは真に創造的なアイディアを着想することはできません。無限に広がる意識の領域とつながっていない思考は、破壊的なものをつくりだしたり、時間がたたないうちに不毛になったりするものです。

思考力というものは、基本的には、人間にとって「サバイバルのための道具」です。それが得意とするところは、情報の収集、保管、分析、さらにほかの思考に対する攻撃や防衛です。これらは、決して創造的な性質のものではありません。真の芸術家というものは、本人が自覚しているか、いないかは別として、思考がピッタリと止まった状態、すなわち「無心状態」で芸術を創造しているのです。思考活動が止まっていない時には、わたしたちはクリエイティブなひらめき、洞察力をかたちにできないのです。

歴史に名を残す偉大な科学者たちも、快挙となるアイディアがひらめいたのは、思考が止まった状態の時だった、と報告しています。アメリカ全土で、アインシュタインをはじめとする、著名な数学者たちの成功の秘訣《ひけつ》を探ろう、という調査が実施されました。それによると、ほんの一瞬というひらめきの活動の中で、考えるという行為は、補助的な役割しか果たしていないという、驚くべき結果が発表されれました。とすると、大多数の科学者たちが、アインシュタインのようにクリエイティブでない理由は、「頭の使い方を知らないから」というよりは、「頭の活動の止め方を知らないから」、ということが言えないでしょうか？

地球上で日夜、刻々と無数の生命が誕生し、その生命が維持されているという奇跡は、頭脳や思考で可能になっているわけではありません。みなさんご存知でしょうか。人間の細胞の直径は、わずか一インチ（二・五四㎝）の千分の一程度しかありません。しかし、その微小な細胞一個のＤＮＡには、なんと六百ページもある本、千冊分の情報が記されているというのですから、まったく驚きのひと言です。人間のからだのしくみを知れば知るほど、頭脳よりはるかに偉大な「インテリジェンス」の存在を確信しないわけにはいきません。わたしたちの頭脳がこの「インテリジェンス」とつながれば、思考は、最高の道具になります。しかも、その実力以上の力を発揮するようになるのです。

第４節　感情の正体は、思考活動がからだに反映されたもの

問い　では、感情はどうなんですか？　わたしの場合は、どちらかと言うと、思考よりも感情にふりまわされることのほうが多いんですが。

答え　わたしが「思考」という言葉を使う時は、考える活動以上のことを意味しています。それは無意識なリアクションのパターンや、感情をも含んでいます。感情は、心とからだの接点から発せられるものです。感情は思考の状態に応じた、からだの反応なのです。思考の状態が、からだに、鏡のように映し出されたもの、と言えば、わかりやすいでしょうか。

たとえば、攻撃的な考えや敵意は、怒りのエネルギーをからだに蓄積《ちくせき》します。からだは、闘いに備えているのです。肉体的に、または心理的に自分がおびやかされている、という考えを抱《いだ》くと、からだが収縮します。これは恐怖心が、かたちになって、からだに表われたのです。強い感情は、からだに、生化学的変化さえ及ぼすことが、最近の研究で明らかになっています。これも、感情のからだへの物理的な表われなのです。わたしたちは、自分がどんな思考を抱いているかを、いつも自覚しているわけではありません。自分の激しい感情から、やっと自分の思考活動に気づくことのほうが多いのではないでしょうか。

好き嫌いを言う、判断を下す、解釈するなどの思考活動を、「ほんとうの自分」とみなしているほど、感情エネルギーの消費量は、大きくなります。これは、とりもなおさず、どれだけ自分が「思考の見張り」をおこたり、「いま、この瞬間」を生きていないのか、を知る目安にもなります。自分の感情に鈍《どん》感《かん》な人や、感情を無視している人は、それを病気のかたちで実現化してしまい、感情をからだのレベルで自覚するはめになります。病と心の相関性については、昨今多くの書が著《あらわ》されているため、ここでは、あえて詳しく述べることはしません。

自覚されない強烈な感情は、偶然降りかかったアクシデントとしか思えないかたちで、その人に表われることもあります。わたし自身、よく目撃してきたことですが、自分でも気づかないうちに怒りをためこみ、それを処理していない人たちは、やはり怒りを温存している人から、たいした理由もないのに、言葉や肉体的な暴力を受けてしまいます。怒りを内面に鬱積《うっせき》させている人は、怒りのエネルギーを発しているために、周りの人たちが、内にひそむ潜在的な怒りを目覚めさせ、活動させてしまうからです。

自分の感情を知るのが難しいなら、からだの内面にあるエネルギー場に、意識を集中させてみましょう。からだを内面から感じるのです。これで自分の感情を感じることができるはずです。これについては、後ほど具体的に説明しましょう。

問い　「感情は、思考の状態が、からだに映し出されたものである」とおっしゃいましたが、時には両者の状態が一致していないことだってありますよ。思考は「ダメダメ」と言っているのに、感情は「いいぞ」と言っていたり、はたまたその逆だったりとか。

答え　自分の思考の状態を、ほんとうに知りたいと望んでいる時には、からだはちゃんと、正確な情報をフィードバックしてくれるものです。からだの内面にある感情を、正面からまっすぐに見据《みす》えてみましょう。むしろ、それを「感じとる」、と表現したほうが、ニュアンスが伝わるかもしれません。あなたがおっしゃるように思考と感情のあいだに、明らかにギャップがある場合、思考が「ウソ」で、感情が「ほんもの」です。感情は、その人の人間性を表わす、真実というわけではありませんが、それでもその時点での「本音」であることは確かです。

表面的な思考と潜在意識のくい違いは、実際多々あります。潜在意識の活動を、すべて自覚できている人は、あまり多くはないかもしれませんが、自覚されない潜在意識の活動は、かならず感情というかたちで、からだに反映されてきます。そこではじめて、潜在意識の活動に気づくのです。感情の観察の仕方も、基本的には、すでにご説明した、「思考を客観的にながめる方法」と同じです。唯一の違いと言えば、思考活動が頭の中でおこなわれるのに対し、感情はからだの多くの部分と密接に結びついているために、主にからだで感じられることです。

感情におどらされないよう、注意しましょう。感情をあるがままにほうっておくのです。そうすれば、わたしたちは感情そのものになってしまうことはありません。逆に、「感情を観察する人」になれるのです。感情を観察できるようになると、自分の内面の無意識なものがすべて意識の光に照らされ、明るみに出るようになります。

問い　では、感情を観察するのは、思考を観察するのと同じくらい大切なんですね?

答え　そのとおりです。「いま、この瞬間、わたしの心で、なにが起こっているだろう?」こう自問する習慣をつけましょう。この質問が、あなたを適切な方向へと導いてくれるはずです。ただし、内面で起こっていることを、あれこれ分析しないでください。観察するだけです。感情に意識を集中させるのです。感情のエネルギーを感じましょう。もし感情が見つからないなら、からだの内側の、もっと深いところを意識しましょう。そこが「大いなる存在」の入口なのです。

感情というものは、たいてい思考がエネルギーによってふくれあがり、表面化してしまったものです。エネルギーのすごさに圧倒され、はじめは観察していられるほど、「いまに在る」ことができないかもしれません。感情はわたしたちを支配したがり、ほとんどの場合、それに成功します。ただし、自分が感情を追い払えるだけ、「いまに在る」なら、話は別です。もし「いまに在る」のが不十分で、無意識のうちに、感情とひとつになるという、「落とし穴」にはまってしまったら（よくあることです）、感情は一時的に、「わたし」になってしまいます。

基本的に、どんな感情もみんな、名前のない、ある原始的な感情の、バリエーションのひとつなんです。その「ある感情」とは、「自分がいったい誰なのか、わからない」という認識の欠如《けつじょ》が原因です。この感情にぴったりくる表現が、なかなかありません。「恐れ」は、かなり近いものですが、いつも恐怖にさらされているうえに、「わたしは不完全である」という根強い感覚をともなっている、という点がしっくりきません。この感情は、名づけられない感情とわりきって、シンプルに「痛み」と呼んでしまうのが、妥当《だとう》であると思います。

思考の主な仕事は、感情的な「痛み」と闘い、それを取りのぞくことです。これが、思考が休むひまもなく活動している理由のひとつです。ところが、残念ながら、思考ができるのは、急場しのぎ的なことだけです。皮肉なことに、思考が、「痛み」を取りのぞこうと奮闘すればするほど、傷口は広がる一方です。そもそも、思考に痛みを解決させようとすること自体、無理な話なんです。なぜでしょう？　実を言うと、思考そのものが、「痛み」をこしらえている「張本人」だからです。思考（エゴでも構いません）とひとつになり、それを「ほんとうの自分」だと思いこむのをやめない限り、「痛み」から解放されることはありません。それさえしなければ、思考は権力の座から追放され、「大いなる存在」が「わたしの本質」として姿を表わします。

問い　では、「愛」や「喜び」などのポジティブな感情の場合は、いかがですか？　こういった感情は、もちろん自分にとってプラスになりますよね？

答え　「愛」や「喜び」は、「大いなる存在」とつながっている時のわたしたちには欠かせない、心の状態です。思考活動が止まり、「心が空っぽ」の時には、いつでも「愛」や「喜び」、そして「心の平安」を、瞬間的に体験します。ほとんどの人にとって、「無心状態」は、ごく稀《まれ》な体験でしょう。息をのむような美しさに触れる、肉体が極度にしょうもうする、命にかかわるような危険に直面するなどをきっかけにして、心が「絶句状態」になり、偶然に「無心状態」になってしまうのが普通です。こんな時、思考活動は、ぴたりと止みます。無心状態は、鮮烈な喜び、愛、平和の感覚さえも、ともないます。しかし、ほとんどの場合、頭が「思考活動」と呼ばれる「雑音づくり」に専念しはじめるため、このような感覚は、またたくまに通りすぎていきます。思考を止め、「大いなる存在」とつながりさえすれば、愛、喜び、平和は、泉のごとく無尽蔵《むじんぞう》にあふれ出ます。

わたしは、いま表現した「愛」「喜び」「平和」を、感情とは呼びません。これらは、感情より、さらに奥深い場所からわき出、感情を超えているからです。これは、裏を返せば、自分の感情を完全に自覚できるようでなければ、感情よりも深い場所に存在する「愛」「喜び」「平和」を感じることはできない、ということにもなります。

「愛」「喜び」「平和」は、「いまに在る」ことができて、はじめて経験できるものです。むしろ「大いなる存在」とつながっている状態の、三本の柱とさえ言えます。「愛」「喜び」「平和」——この三つに共通するのは、対極に位置するものが存在しないことです。それは、この三つが感情を超えているからです。一方、二元性を帯びた思考の仲間である感情のほうは、両極性の法則に左右されています。したがって、感情の世界では「悪」のない「善」は存在しないことになります。

さとりをひらいていない人が経験する「喜びのようなもの」は、永遠にうつり変わる「痛み—快楽」サイクルのうちの、つかのまの「快楽」であることがほとんどです。「喜び」は、自分の内面からわき出るものですが、「快楽」は、自分の外側からもたらされます。今日の自分に「快楽」を与えるものが、明日にはうって変わって、痛みを与えるということも、大いにあり得ます。また、それを失う時にも、痛みを被《こうむ》ることになります。

みなさんがよく「愛」と呼んでいるものも、最初のうちは、ときめくような楽しいものかもしれませんが、その正体は、中毒症状に似た、相手へのしがみつきです。これはとても依存的な状態で、スイッチひとつで逆の状況へと一転します。恋愛関係というものはたいがい、最初の頃の「幸福期間」を過ぎたあとは、「愛—憎しみ」または「優しさ—攻撃」のはざまを、振り子のように行ったり来たりするだけです。

「ほんとうの愛」は、わたしたちに痛みを与えたりしません。愛が痛みを与えるはずがありません。ほんとうの愛は、突然、憎しみに姿を変えたりしません。ほんとうの喜びも、苦しみに変わったりしないのです。すでにご説明したとおり、さとりをひらいていなくても、ほんとうの愛、喜び、心の平安を、瞬間的に、体験することはあるでしょう。これらが、ふだん思考がかき消しているために、感じられなくなっている、「ほんとうの自分」の本質なのです。

ごく一般的である、中毒的な人間関係の中でも、普段とは違うなにか、めっきのようにはがれたりしない、本物のなにかを感じたことはありませんか？　しかし、このフィーリングも、思考の妨害《ぼうがい》によって、すぐにおおいかくされて、足早に過ぎ去ってしまうものです。そんな時、わたしたちは、せっかく稀少《きしょう》な宝石かなにかを発見したのに、それが、目の前でこつ然と消えてしまったかのように錯覚します。または、思考が「あれはただの幻だったんだよ」と、わたしたちを説き伏せるかもしれません。しかし、このような、ごく稀《まれ》に経験する「ほんとうの愛」は、幻ではないのです。わたしたちは、それを失ったのでもありません。それが「ほんとうの自分」だからです。それはおおいかくされることはあっても、思考によって破壊されることは、決してありません。たとえ空があつい雲におおわれていても、それは太陽が消えてしまったわけではなく、雲の向こう側に、ちゃんと存在するのと同じことです。

問い　ブッダは、「苦しみは、欲望や執着を持つから生まれるのである。苦しみから解放されるには、欲望や執着を断つことである」と説きましたが、これは真実ですね？

答え　どんな欲望も、「大いなる存在とひとつになる喜び」の代用品として、外界に満足感を求めることからはじまります。この次元にとどまっているかぎり、「自由になりたい」、「さとりをひらきたい」

という思いも、「欲望のひとつ」になってしまいます。ですから自由になる方法を追い求めたり、さとりをひらこうと努力したりしないでください。ただひたすらに、「いま、この瞬間」という時を、生きるのです。「思考を観察する人」になってください。ブッダの言葉を引用するかわりに、「ブッダ自身」になってください。「目覚めた人」になってください。「目覚めた人になること」――実は、これが「ブッダ」という言葉の意味なんです。

思考を「ほんとうの自分」だと思いこんでいる状態は、「無意識に生きること」と、言いかえることもできます。ここから脱却《だっきゃく》しないかぎり、痛みから解放されることはありません。わたしがここで使った「痛み」は、感情的な痛みのことですが、この感情的な「痛み」が、肉体的な苦痛と病気の、主な原因でもあります。感情的な痛みには、「怒り」、「嫌悪」、「自己憐憫《れんびん》」、「罪悪感」、「憂鬱《ゆううつ》」、「嫉妬《しっと》」などがあります。

ちょっとしたいらだちも、痛みのひとつです。すべての「快楽」や「感情の高ぶり」も痛みの種を含んでいます。なぜなら、これらは対極の存在と表裏一体であり、「マイナス極」が表われるのは、時間の問題だからです。ドラッグで「ハイ」な状態を経験したことがある人なら誰しも「ハイ」はいずれ「ロー」に変わること、快楽が苦しみに変わることをよく知っているでしょう。

ドラッグを経験したことがない人たちも、親密な人間関係が、快楽から痛みへと、いとも簡単に、しかもほんのわずかの期間で変わってしまうことを、経験からよく知っているものです。より高い視点からみれば、ポジティブとネガティブはコインの表と裏のようなものです。ポジティブもネガティブも、エゴ的思考に不可欠な、「痛み」の一種なのです。

感情的な痛みには、ふたつのレベルがあります。ひとつは、「いま、こしらえている痛み」。もうひとつは、「心とからだに生きつづけている過去の経験による痛み」です。次章では、いま痛みをこしらえない方法と、過去の痛みを溶かす方法について、お話ししていきたいと思います。

第2章

「いまに在る」と、人生の苦しみは消える

第1節 「いま」苦しみをこしらえるのをやめる方法

問い 苦しみや悲しみのない人生なんて、ウソッパチですよ! 障害《しょうがい》は避《さ》けるべきではなく、いかにして乗り越えていくかが、わたしたち人間の「課題」じゃないんですか?

答え わたしたちの苦しみのほとんどは、実は、自分でつくっているものなんです。厳密に言うと、思考がこしらえているということになりますが。言うなれば、わたしたちは、必要のない苦しみを自分から背負っていることになります。これは、「すでにそうであるもの」に対する「拒絶」や、無意識のうちの「抵抗」が原因です。思考は物事に対して「決めつけ」をするものですが、すると、必然的に、ネガティブな感情がわき上がってしまうのです。

苦しみの度合いは、自分がどれくらい「いま、この瞬間」に、抵抗しているかに比例しています。これは同時に、どれだけ自分が思考とひとつになっているか、という度合いをも示しています。思考は「いま、この瞬間」を嫌っているので、いつもそこから逃げようとしているからです。思考を「ほんとうの自分」とみなすほど、苦しみは増すばかりです。でも、それは見方を変えると、こういうことにもなりませんか?――「いま、この瞬間」をあるがままに受けいれるほど、痛みや苦しみはなくなる。

なぜ思考は「いま、この瞬間」に抵抗するのでしょうか？　その理由は、思考は過去、未来という時間の概念なしには、機能できないからです。そのため、思考は時間のない「いま、この瞬間」を脅威に感じているのです。時間と思考は、互いに離れられない間柄《あいだがら》です。

ここで、ちょっとイメージ力を使ってみましょう。人類の存在しない地球を、想像してみてください。植物と動物だけが住む地球です。その地球に、過去や未来は存在するでしょうか？　時間について、意義のある会話は成立するでしょうか？　「いま、なん時ですか？」「今日は、なん日だっけ？」――こんな問いかけをすることに、意味はあるでしょうか。カシの木やワシは、そんな質問にとまどうでしょうね。「いまなん時ですか？」――こうたずねられたら、彼らはきっと、こう答えるでしょう。「いまなん時かって？　そんなこと、決まってるじゃないか！　いまは『いま』だよ。『いま』以外に、いったいどんな時があるって言うのさ？」

たしかに、世の中で、責任を果たしていくには、思考も時間も欠かせないものです。かと言って、それらが人生の主導権をにぎってしまうようになると、危険信号です。そこまでくると、どこかに支障をきたしたり、苦しみや悲しみを抱くようになってしまいます。

思考はすべてをコントロールしようと、「いま、この瞬間」という時を、いつも過去と未来というカーテンでおおいかくそうとします。すると「いま」と結びついた「大いなる存在」の生命力や創造力も、時間というわなにはまり、「ほんとうの自分」も、ピンぼけ写真のようなものになってしまいます。

人間は、時間という重荷《おもに》を日ごとに募《つの》らせています。しかも、かけがえのない「いま、この瞬間」を無視したり、拒否したり、未来に到達するための通過地点とみなすなどして、その価値を下げて、重荷をいっそう膨《ふく》らませているのです。「未来」は、思考の中にだけ存在する幻であって、現実には存在しないものなのです。ひとりひとりの人間の意識と、人間の集合意識の中に積もっている時間には、過去の経験による「痛みのかす」も、かなり含まれています。

自分にも、人にも、もう痛みを与えたくないなら、また、自分の中で生きつづけている過去の「痛みのかす」を、もうこれ以上増やしたくないなら、とるべきステップは、ただひとつです。それは、「時間の概念を捨てること」です。せめて普段の生活で、必要以上に時間にとらわれないよう、心がけるだけで、人生が変わってくるはずです。

では、実際にどうすれば、時間の概念を捨てられるのでしょうか？「いま、この瞬間」以外は、存在しないという事実を、心の奥からさとることです。「いま、この瞬間」にフォーカスし、人生の真ん中に据《す》えるのです。これまでは、「時間の世界」に住み、「いま、この瞬間」には、たまにおとずれる程度だったでしょう。これからは逆に、「いま、この瞬間」を「すみか」とし、物事を解決するのに必要な時だけ、「過去」と「未来」をおとずれるのです。

いつでも「いま、この瞬間」を「Ｙｅｓ！」と言って、抱きしめるのです。「すでにそうであるもの」に抵抗することほど、無益なことがあるでしょうか？　いつでも「いま、この瞬間」である「人生」に逆《さか》らうこと以上に、非建設的なことがあるでしょうか？「あるがまま」に身をゆだねましょう。人生を「Ｙｅｓ！」と言って、無条件に受けいれましょう。そうすれば、向かい風だった人生が、突然追い風に変わっていくのを体験するでしょう。

問い　「いま、この瞬間」が、不愉快だったり、最悪だったりで、受けいれるのが無理な時にはどうするんですか？

答え　すべては、「あるがまま」です。思考がどんな具合に、物事に「レッテル貼り」をしているか、よーく観察してごらんなさい。そうすれば、その「レッテル貼り」こそが、苦しみと不幸をこしらえる原因であるということに、気づきますよ。思考が、どんなしくみで機能しているかを理解すると、思考活動の外に歩み出ることができます。これは、同時に「いま、この瞬間」をあるがままに受けいれていることになります。

「いま、この瞬間」を受けいれると、どんな出来事にも動じない、「心の平安」が得られます。その境地にはいったうえで、なにか行動を起こす必要があるなら（そしてそれが可能なら）、行動しましょう。まず、受けいれます。それから、行動を起こします。「いま、この瞬間」が運んできたものを、まるで自分であらかじめ選択したかのように、すべて受けいれるのです。どんな時でも、「いま、この瞬間」と協力するのです。それが難しい時でも「いま、この瞬間」を敵に回さないことです。これが、人生を根底から奇跡的に変化させる魔法です。

第2節　「感情の痛み」＝「ペインボディ」を溶かそう

「いま、この瞬間」を味方にしないと、感情的な痛みは増えつづけ、痛みを背負って人生を歩むことになります。新たにこしらえる感情的な痛みは、心とからだにすみついている、過去の経験による痛みにくっつき、雪だるま式にどんどん大きくなっていくのです。

からだに積もった痛みは、ネガティブエネルギーになって、心とからだにくっついています。これが感情の痛み、わたしが「ペインボディ」と呼ぶものです。ペインボディには、ふたつの状態があります。眠っているものと、活動しているものです。休火山と活火山をイメージすると、わかりやすいかもしれません。ペインボディが九〇パーセント近い時間、眠ったままの人もいるでしょう。「わたしは、とても不幸だ」と感じている人の場合には、ペインボディは休まずせっせと活動しているのです。

ペインボディが、フルに目覚めた状態で、人生を歩んでいる人もいれば、親密な人間関係や、過去の悲しい経験（見捨てられる、失う、肉体的・感情的に傷つくなど）と重なる状況でのみ、ペインボディが目覚める人もいます。どんなささいな出来事も、ペインボディを活動させる引き金になり得ますが、過去の痛みと共鳴する場合は、なおさらです。ペインボディが目覚める準備ができているなら、ちょっとしたネガティブな考えや、誰かの悪気のないひと言でさえ、それを活動させるスイッチになってしまいます。
ペインボディには、比較的害の少ないものもあります。泣きやまない子供などがそうです。肉体にとって有害なものもありますが、ほとんどは、感情にとって有害です。ごく身近な人を攻撃するペインボディもあれば、本人を攻撃してしまうペインボディもあります。後者のケースでは、自分の人生に対する思考や感情が、とてもネガティブになり、自滅的です。病気や事故は、大概《たいがい》ペインボディがつくりだしているのです。極端なケースでは、ペインボディが本人を自殺にまで追いこんでしまうことさえあります。

気心を知りつくしたつもりでいた人が、突然それまで見せたことのない、悪意に満ちた性格を露呈するのを目の当たりにし、大きなショックを受けたことがありませんか？　あなたは、ペインボディが牙《きば》をむく瞬間を目撃したのです。しかしながら、人のペインボディを観察するよりも、自分自身のペインボディを観察することのほうが、ずっと大切なことです。ほんのわずかでも、みじめな気持ちがわき上がってきたら、注意しましょう。それがペインボディの目覚めのサインかもしれないからです。「いらだち」「怒り」「落ちこみ」「鬱《うつ》状態」「誰かを傷つけたいという欲求」「人間関係で『ドラマ』をつくらずにはいられない」などがそのパターンです。ペインボディが目覚めるその瞬間に、しっかりとつかまえましょう。

ペインボディが存続できる道は、ただひとつ。わたしたちが、無意識のうちにペインボディとひとつになってしまうことです。ペインボディも、人間と同じように、生きるための「栄養」を必要としています。栄養は、ペインボディのエネルギーと共鳴するものなら、どんな経験でもいいのです。さらなる痛みをこしらえるものなら、なんでも栄養にしてしまいます。ペインボディは、栄養を摂取するために、同じ種類のエネルギーを帯びた状況を、わたしたちの人生につくりだします。痛みの栄養は、痛み以外にはありません。痛みは、喜びを食べて生きられません。痛みは、喜びを消化することができないのです。

ペインボディとひとつになると、わたしたちは、もっと痛みが欲しくなります。そこで、「被害者」か「加害者」になることを選びます。「痛みをもたらす人」か、「痛みに苦しむ人」、もしくはその両方になってしまうのです。「痛みをもたらす人」も「痛みに苦しむ人」もあまり違いはありません。「自分から好きこのんで痛みを欲しがる人なんて、いるわけがありませんよ！」ほとんどの方は反論するでしょう。でも、その気持ちをおさえて、よーく観察してみましょう。あなたの思考や言動は、自分自身やほかの人に、痛みをこしらえていませんか？　ペインボディの存在をちゃんと自覚できていれば、ネガティブ性は消えてしまいます。進んで痛みを望む人など、どこにもいないからです。

「エゴが映し出した暗い影」であるペインボディは、あなたの意識という光に照らされることをなによりも恐れています。どうか気づかれませんように、とおびえているのです。その存続は、わたしたちが、ペインボディを「ほんとうの自分」と思いこんでしまうか、どうかにかかっているからです。また、自分の痛みを直視することを、恐《こわ》がってしまうことも、ペインボディを存在させる原因です。

ペインボディを、しっかりと見据《みす》えて、意識という光で照らさなければ、永遠に痛みをくりかえしていくことになります。ペインボディは、直視することに堪《た》えない危険なものに思えますが、あなたの実存というパワーのまえには、しっぽをまいて退散するしかない、幻でしかありません。精神世界の教義の中には、「すべての痛みは、究極的には幻である」と、説くものがありますが、これはまさに真理です。さあ、勇気をだしてペインボディを見つめましょう。

ペインボディは、わたしたちに直視されて、幻というその実体をあばかれたくありません。ペインボディを観察すると、ペインボディを「ほんとうの自分」だと思いこんでしまう、というわなから脱《ぬ》け出せるのです。すると、意識が新しいレベルに進みます。わたしはこれを「在《あ》ること」と呼んでいます。「在ること」によって、自分自身の核とも言える、内側に秘められた強さに気づきます。「在ること」によって、「いまのパワー」を手にしたのです。

問い　ペインボディを「ほんとうの自分」ではない、と認識できるようになったら、ペインボディはいったいどうなるんですか？

答え　ペインボディは、「無意識に生きている」ことによる産物です。ペインボディを自覚すると、ペインボディは意識に姿を変えます。パウロはこの普遍的原則を、美しく次のように表現しました。

「光に照らされると、すべては姿を現わす。光に照らされたものは、すべて光となる」

闇と闘うことができないのと同じように、ペインボディと闘って、それを退治することはできません。退治しようとすると、心に葛藤《かっとう》が生じ、結局、さらに痛みをこしらえてしまいます。観察するだけで、ことは足ります。観察することは、対象をあるがままに受けいれることだからです。ペインボディは、思考の誤った認識というプロセスによって、その人の生命エネルギーから切り離され、一時的に独立してしまったエネルギーなのです。

ペインボディを観察し、「ほんとうの自分」ではないと認識できたあとでも、ペインボディは活動をつづけ、わたしたちに、もう一度わなを仕掛けることがあります。ちょうどスイッチを止めたあとも、扇風機が惰性で少しのあいだ回りつづけるのに似て、ペインボディも余力で活動をつづけるのです。この段階にくると、ペインボディは、からだのあちこちに肉体的な痛みを与えるかもしれませんが、「悪あがき」も長くは持ちません。しっかりと意識を保って、「いま」に在りましょう。自分の内面を、かたときも逃さず見張《みは》る「ガード・マン」になるのです。

ペインボディを見張れるようになるには、十分に「いまに在る」ことが条件です。そうすればペインボディは、思考をコントロールできません。自分の思考がペインボディのエネルギーと同じ種類のものだと、ペインボディとひとつになり、ペインボディに栄養を与えることになります。

ちょっと例を挙げて説明してみましょう。たとえば、あなたのペインボディの、主なエネルギーが怒りだと仮定します。そのうえで、誰かの言動や、さらに、どんな仕返しをしてやろうかという怒りに満ちた思考に明け暮れるとします。するとあなたは「無意識状態」になってしまい、ペインボディが、あなたになりかわってしまうのです。怒りの感情の裏には、必ず痛みがかくされているものです。みじめなムードにおそわれ、「なぜ人生は、こんなにもむごたらしいのか」などというネガティブな考えにひたっていると、自分自身もペインボディと同じ色に染まり、「無意識状態」におちいります。すると、ペインボディの攻撃に対してもろくなってしまうのです。わたしがここで言う「無意識状態」とは、ある思考や感情とひとつになってしまうことを意味します。「見張り人不在」の状態と言ってもいいでしょう。

ペインボディをいつも観察していると、ペインボディと思考のつながりを断つことができます。思考とのつながりを断たれてしまったペインボディは、意識へと変わります。痛みが意識の炎を燃やすための燃料に変わり、結果的に意識の炎がいっそう明るくなるのです。これが、一般に知られていない、古代錬金術の解釈です。つまり、卑金属（＝苦しみ）を黄金（＝意識）に変える技術のことを意味しているのです。苦しみと意識のあいだを走る亀裂《きれつ》は癒《いや》され、わたしたちは満たされます。そのレベルに到達できたなら、もう新たな痛みをこしらえないことが、わたしたちに課せられた使命なのです。

では、ここでプロセスをおさらいしてみましょう。まず、自分の感情的な痛みに、意識を集中させます。それをペインボディだと認識します。「わたしの内面にペインボディがある」という事実を受けいれます。ペインボディについて、解釈してはなりません。判断を下したり、分析したり、自分の都合のために「ペインボディは○○が原因だ」などと、決めつけないことです。「いま」に在り、自分の内側を観察しつづけるのです。ペインボディを観察する人になりましょう。これが「いまのパワー」につながる方法です。「いまに在る」ことから得られるパワーです。そうしてから、自分にどんな変化が起こるか、ようすを見ましょう。

女性の場合は、とりわけ月経の周期に先だって、ペインボディが目を覚ますことが多いようです。この理由や詳しいことについては、後ほどお話ししますが、いまの段階では、これだけ述べておきます。わたしたちが「いまに在り」、自分の感情がたとえどんなものであろうと、それに支配されずに、それを観察できると、過去の痛みがすべて、迅速《じんそく》に氷解《ひょうかい》してしまうことがあります。

第3節　エゴは「ペインボディ」とひとつになりたがる

わたしがここで説明した、「いまに在る方法」は極めてパワフルであると同時に、とても簡単に実行できます。子供にさえ教えることが可能です。そう遠くない将来に、子供たちが学校で習うことのひとつになれば、と願っています。

ただし、ペインボディが消えていく時に、拒絶反応が起こる可能性もあります。人生の大半を、ペインボディとひとつになって過ごしてきた人や、ペインボディをアイデンティティのよりどころにしてきた人の場合は、特にそれが言えます。つまり、ペインボディに基づいて、「不幸な自分」というイメージをつくりあげ、このでっち上げの自分を「ほんとうの自分」だと信じこんでしまっている場合です。

こういったケースでは、「自分自身を失ってしまうのではないか」、という恐怖心が、拒否反応を引き起こしてしまうのです。言いかえるなら、未知なる世界に足をふみいれ、居心地のよい「不幸な自分」を失うリスクを背負うよりも、いっそのこと痛みにひたりきって、「痛みそのもの」でいることを望んでしまうのです。

このケースに当てはまると思う人は、自分の拒絶反応のようすを観察してみてください。過去の痛みに、愛着心がありませんか？　感覚を、よーくとぎすませましょう。「不幸な自分」というイメージを抱くことで得られる、独特の満足感に注意するのです。「不幸な自分」について話さずにはいられない、考えずにはいられない、という強迫的な傾向はないでしょうか。あなたがしっかりと意識すれば、その傾向は消えていきます。このようにして「いまに在る」と、ペインボディは溶けてしまいます。

ペインボディに変化を起こせるのは、自分だけです。誰かがあなたのペインボディを溶かしてあげることはできません。しかし、幸運にも身近に、しっかりと「いまに在る」人を見つけられたら、その人物と一緒に過ごすことをお勧めします。「いまに在る」人のそばにいると、自分も比較的簡単に「いまに在る」ことができるからです。その人といることが、自分自身の「意識の光」を、強くするのです。発火したばかりの薪も、燃えさかる薪のそばにしばらくおかれると、勢いよく燃えはじめるのと同じ原理です。つまるところ、炎は炎に変わりありません。

第4節　「恐れ」の正体とは？

問い　恐れは、「人間の原始的な感情」である、とおっしゃいましたが、人間は、どんなしくみで恐れを抱くのでしょう？　なぜ人生は、こんなにもたくさんの恐れに満ちているのですか？　ある程度の恐れは、自己防衛の目的として、極めて健全ではないでしょうか？　もしわたしが火を恐れていなかったら、自分から火に手をつっこんで、やけどを負うかもしれませんよ。

答え　わたしたちが火に手をつっこまない理由は、火を恐れているからではなく、火に手をつっこんだらやけどをするものなんだと、知っているからです。危険を避けるために、わざわざ恐れを抱くのは、無用の長物です。やけどを防ぐのに必要なのは、最低限の知性と常識だけです。こういった実生活における事柄には、過去で学んだレッスンを活用するのが有効です。

万一、誰かに暴力でおどかされたら、わたしたちの多くは、恐れに似た感情を抱くでしょう。この場合は、本能的な危険に対するしりごみであって、わたしが本書を通じてお話ししている、心理的な恐れとは別のものです。心理的な恐れは、目前の確固たる危険と、直接には関連していません。それは、不快感、不安、いらだち、緊張、心配、病的恐怖など、さまざまなかたちで表われます。この種の心理的な恐れは、必ず「いま、起こっていること」ではなく、「これから起こるかもしれないこと」に対するものです。あなたがいるのは「いま、ここ」です。それなのに、あなたは、「未来」を見ているのです。このギャップが、不安などのネガティブ性を生む元凶《げんきょう》なのです。

自分の思考を「ほんとうの自分」だとみなして、「いま」のパワーを失い、「いまに在る」生き方を忘れてしまうと、恐れが「相棒」になってしまいます。わたしたちには、たとえどんな時でも「いま、この瞬間」と協力するという選択肢があります。しかし、頭の中にしか存在しないイメージと、協力することはできません。未来は、わたしたちに手を貸してはくれないのです。

恐れには、実にさまざまな要因が絡《から》んでいるものです。失うことへの恐れ、失敗することへの恐れ、傷つくことへの恐れなど、リストを挙《あ》げていったらきりがありません。しかし、どんな恐れもつきつめると、「エゴの恐怖」に帰着します。エゴは、自分の生命が「風前《ふうぜん》のともしび」だと知っているからです。思考を「ほんとうの自分」だとみなしていると、エゴの恐怖が人生のあらゆる面に影響を及ぼします。たとえば、あなたの周《まわ》りにも、「議論でいつも自分が勝たなければ気がすまない人」がいませんか？　この、ごくありきたりのこととみなされている習性も、もとをただせば、自分の思考を防衛する目的によるものです。そして、自分の思考を防衛せずにはいられないのは、思考を「ほんとうの自分」だと、錯覚しているからにほかなりません。つまり、思考にすがりついているエゴの恐怖に由来しているのです。

エゴは、頭の良さで自分の存在価値を測っているために、考えが間違っていると証明されたりしたなら、大変なことになるのです。エゴは消滅の危機にさらされてしまいます。ですからエゴとひとつになった人は、絶対に負けられないのです。

自分の主張の正当性をめぐって、幾多《いくた》の闘争が起こり、数知れない人間関係が破綻《はたん》してきました。思考をアイデンティティから切り離してしまえば、自分が正しいかどうかなどはどうでもよくなり、負けたからといって、アイデンティティがゆらいだりすることもなくなります。そうすると、「絶対に自分は正しくないといけない」という強い感情（これは一種の感情的暴力です）を、もう抱くことはありません。明確に自分の考えや感情を伝えることはあっても、そこには攻撃性も自己防衛もないでしょう。これは思考ではなく、自分の内側にある、「大いなる存在」を、アイデンティティにしているからです。

ですから、自分がわずかでも自己防衛をしていると気づいたら、注意しましょう。あなたは、いったいなにを守ろうとしているのでしょう？　それは「にせの自分」「頭の中のイメージ」「空想上の存在」などではないでしょうか？　自分が自己防衛をしていると気づき、その行動を観察すれば、その行動をやめるでしょう。意識の光に照らせば、無意識のパターンは消え去ります。これで、人間関係を台無しにする論争や権力闘争のすべてに、終止符が打たれます。他者を押さえつけようとするパワーは、強さという仮面をかぶった弱さでしかありません。真のパワーは自分の内面にあり、それは誰にでも、手の届くところにあるのです。


思考とひとつになって、「大いなる存在」から離れているために、「いまのパワー」を失っている人は、自分が無力だと感じてしまうため、恐れを友にして生きています。思考を超えるレベルに達している人は、まだごく少数です。ですから、わたしたちがこれまで出会った人たちは、程度の差こそあれ、ほぼ全員が恐れの中に生きていると考えていいでしょう。「極度の恐怖心」という目盛りと、「漠然《ばくぜん》とした不安」というふたつの目盛りのあいだを、いつもゆれ動いているのです。

第5節　完全になろうとして、さまよいつづけるエゴ

エゴ的思考は、「わたしは不十分です」という根強い気持ちをともなうのが特徴です。この気持ちを自覚している人もいれば、まったく無自覚の人もいます。本人が自覚している場合には、「わたしは価値がない」という不安定な感情が、いつも表面化してきます。これが自覚されていない場合だと、なにかに対する渇望《かつぼう》という、間接的なかたちとなって表われてきます。いずれにしろ、心にぽっかりあいた穴をうめるために、あくなき欲望にのめりこむケースが多いのです。金、成功、権力、賞賛など、なにもかもを獲得しようと必死になります。自分が完全であると感じたいがために、親密な関係を結ぼうとさえする人もいます。しかし、これらをすべて手に入れても、心の穴はうまるどころか、そこに歴然とあり、しかも穴が底なしであることにも、いずれは気づきます。そうすると、自分を欺《あざむ》くこともできなくなり、にっちもさっちもいかなくなるのです。

エゴ的思考が人生をコントロールしているかぎり、真の「心の平安」を得ることはできません。欲しかったものを手に入れ、欲望が満たされた瞬間、というごく短い時間をのぞいては、安らぎも満足感も得られません。エゴ自体が「ほんとうの自分」の代用品であるので、ほんものではなく、自分の外側にある「にせもの」で、アイデンティティを証明する必要があるのです。

エゴが自己証明として利用する典型的なものには、「所有物」「職業」「肩書き」「人からの評価」「知識」「学歴」「ルックス」「特殊技能」「交友関係」「家柄」「信念体系」などがあります。時には「政治」「国家」「人種」「宗教」などの集合的なアイデンティティも利用されます。しかし、これらのどれもが「ほんとうの自分」ではありません。この事実はあなたにとって脅威でしょうか？ それともほっと安心しましたか？ 遅かれ早かれ、わたしたちが、これらをみんな手放さなければならない日がやってきます。おそらくいまの段階では信じがたいことでしょう。しかし、わたしの言うことを信じようが信じまいが、それが真実であると、あなた自身がさとる日がいずれやってきます。遅くとも「いまわの際《きわ》」にはそれをさとるでしょう。死は、わたしたちから、「ほんとうの自分」でないものを、すべて剝《は》ぎとってしまうからです。

生きることの秘訣は「(肉体が) 死ぬ前に死ぬこと」であり、しかも「『ほんとうの自分』は死なない」と、さとることだと言えるのではないでしょうか。

第3章

「いまに在る」生き方がさとりのカギ

第1節　思考の中に、「ほんとうの自分」はいない

問い　さとりをひらくには、思考のメカニズムについて、まだまだ学ぶべきことが、山のようにあるのではないでしょうか？

答え　きっと、そう思われるでしょうが、違うんです。思考についての問題は、思考のレベルでは、解決できないからです。思考が、きちんと機能していないことさえ理解できれば、ほかに学ぶべきことは、ほとんどないと思っていいです。

頭脳の複雑なしくみを学べば、優れた心理学者になれるかもしれませんが、思考のレベルを超えて、意識の新たな段階へと進む助けにはなりません。「無意識状態」の基本的なメカニズムについてはすでにおわかりですね？　思考を「ほんとうの自分」とみなすと、「大いなる存在」につながれないために、「ほんとうの自分」の代用品として、「にせの自分」をつくりだしてしまうのです。ちょうどイエスが表現したように、「父であるブドウの木から、ぷっつりと折れた小枝」になってしまうのです。

エゴの欲求には、果てしがありません。エゴは、恐れと欲望の世界に生きているからです。機能不全のメカニズムさえ知っていれば、もうそれ以上、数え切れない具体例を掘り下げたり、個人的な問題と

とって、頭を抱えこんだりする必要もありません。

思考（感情も含めます）を、「ほんとうの自分」とみなすことが、「無意識状態」のそもそもの出発点であることさえ認識できれば、「無意識状態」から脱け出すことができます。あなたは、「いまに在《あ》る」ことができます。「いまに在る」時には、思考に引きずりまわされたりしません。思考をあるがままにほうっておくことができます。

思考力そのものが、機能不全なわけではありません。思考力は、本来すぐれた道具なのです。わたしたちが思考にアイデンティティを求め、「ほんとうの自分」であると思いこんだ瞬間に思考は機能不全になってしまうのです。すると、思考はエゴ的性質を帯び、わたしたちの人生を台無しにします。

第2節 「時間」は幻である、ということを理解しよう

問い 思考を自分から切りはなすなんて、ちょっと無茶じゃないですか？ わたしたちはみな、休みなく思考活動をおこなっていますよ。それは、まるで「魚に空の飛び方を教えるようなもの」じゃありませんか？

答え では、コツをお教えしましょう。それは「時間は幻だとさとること」です。時間と思考とは、言

わば「一心同体」。互いに離れることができません。頭から時間の概念をとりはらうと、思考活動は、ぴたりとやみます。つまり、「思考とひとつになる」ことは、「時間のわなにはまる」ことなんです。そうすると、ほぼ自動的に「記憶」「期待」「不安」だけを糧《かて》にして人生を送るようになります。過去と未来に四六時中没頭《ぼっとう》し、「いま、この瞬間」というものを貴ばず、ありのままに受けいれもしません。過去をアイデンティティのよりどころにし、未来を目標達成の道具にしてしまうために、執着心を抱くようになります。「過去も未来も幻である」――これが真実なんですよ！

問い　そんなこと言ったって、時間の概念なしに、どうやってこの世界で生活していけるんですか？　未来がなければ、目標に向かって努力することがなくなります。過去がなければ、自分が誰かもわからないじゃないですか。過去があるからこそ、いまのわたしが存在するんです。人間にとって時間はすごく貴重なものです。

答え　時間は、ちっとも貴重ではありません。時間は幻だからです。あなたが貴重だと感じているものは、実は時間ではなく、時間を超えた「ある一点」、すなわち「あるひとつの時」です。それは「いま」です。「いま」こそが、ほんとうにかけがえのないものです。時間に、つまり「過去と未来」に焦点《しょうてん》を当てるほど、もっとも貴い「いま」を見失ってしまいます。

なぜ、「いま」が一番貴いのでしょう？　答えは至極《しごく》簡単。それが「唯一《ゆいいつ》のもの」だからです。存在するのは、それだけです。永遠の「いま」こそが、わたしたちの人生のすべてがくりひろげられ、内包《ないほう》された空間であり、唯一の現実です。「いま、この瞬間」が人生なのです。人生は「いま」です。わたしたちの人生が「いま」でなかった時など、これまでありませんでしたし、未来永劫《えいごう》ありません。わたしたちを、思考の世界から超えさせてくれるのは、「いま」という時だけです。「いま」だけが、時間とかたちのない「大いなる存在」につながれる、唯一の時です。

第3節 「いま」以外には、なにも存在しない

問い 過去も未来も、「いま」と同じくらい現実じゃないんですか？ いえ、ことによっては「いま」なんかより、はるかに本物のように思えることだってあります。だって、わたしが誰なのかを決めるのは過去だし、現在の行動やものの見方、考え方にも影響を及ぼしています。さらに、未来のゴール次第で、現在とるべき行動も決まってくるんですよ。

答え まだ、わたしの説明したことをつかんでいないようですね。きっと頭で理解しようとしているからです。「頭脳」は、この事実を理解できません。理解できるのは「あなた」だけです。どうか、よく聞いてください。

いまだかつて、「いま」以外の時になにかを経験したり、おこなったり、考えたり、感じたりしたことがあるでしょうか？ これからもそうすることがあると思いますか？ 「いま」以外の時になにかが

起きたり、存在したりすることは可能でしょうか？　答えは、言うまでもありませんね。

過去には、なにひとつ起こっていません。

起こったのは「いま」です。

未来には、なにひとつ起こりません。

すべては「いま」、起こるのです。

わたしたちが過去だと思っているものは、頭に保管された、かつての「いま」の記憶の断片にすぎません。わたしたちは過去を思い出すとき、記憶の断片をよみがえらせています。それをおこなうのは「いま」です。未来というのは思考がつくりだした、想像上の「いま」です。未来がやってくる時には、「いま」として経験されます。未来について考えるとき、わたしたちは「いま」おこなっているのです。過去も未来も、それのみでは、現実にはなりません。過去と未来は、ちょうど月にたとえられます。月そのものは、発光体ではありません。太陽の光を反射して、はじめて輝くことができます。同様に、過去も未来も、「光」であり、「パワー」であり、「現実」であり、「永遠」である「いま」のおぼろな影でしかないのです。

わたしがここで説明していることは、頭で理解できるたぐいのものではありません。これを把握した瞬間、思考から「在ること」へ、時間の世界から「いま」へと、意識の変化が起こります。すると、すべてのものが、生命力にあふれ、エネルギーを発し、「大いなる存在」とつながっているのが、はっきりと見えてくるはずです。

第4節　魂のレベルに到達するコツ

生命が危険にさらされると、意識が「時間の世界」から「いまに在る」状態へと自動的にシフトすることがあります。過去と未来の影響による個性は一時的になりをひそめ、意識が落ち着いていながらも、とても鋭敏な、強烈に「いまに在る」状態になるのです。この状態では、意識は臨機応変な対応をしていきます。

登山やカーレースなどの、生命を危険にさらす活動を自ら選び、それにのめりこんでしまう人がいるのは、これが理由です。要するに、彼らは死と隣り合わせの状況に自らをおくことによって、自分を「いま」へと追いつめているのです。ただし、本人は、このような事情があることに気づいていないかもしれません。彼らは時間、問題、思考、足かせとなる個性から解放された、強烈に生きている状態を求めているのです。ほんの数秒でさえ、うっかり「いま」の外に出てしまうと、命取りになりかねません。残念なのは、「いまに在る」状態に到達したいという目的から、特定の活動に依存するようになってしまうことです。「いまに在る」ために、わざわざアイガー［Eiger；スイス中部、西アルプスの高峰」北壁をよじ登る必要などありません。そんなことをしなくても、いま、ここで、「いまに在る」ことができるんですから。

古来よりたくさんの宗教の指導者たちは、さとりをひらくカギは「いま」であると、指摘してきました。にもかかわらず、この事実はいまだに、謎《なぞ》であるかのようです。たしかにこれは、一般には教えられていないことです。しかし、以下のバイブルの一節を、耳にしたことがないでしょうか？

「明日のことを悩んではなりません。明日のことは、明日になれば、どうにかなるものです」

「仕事にとりかかってから、それについて、あれこれ思いわずらう者は、神の御国《みくに》にふさわしくない」

また、明日のことを憂《うれ》えることなく、のびのびと「いま」を生きているために、神の豊かな恵みを受けている、美しい花々についての一節を聞いたことはありませんか？　こういった言葉の真意や、秘められたパワーを認識している人は、ほとんどいないと思います。これらの教えを人生の指針にすると、心にドラスティックな変化をもたらす、ということに気づいている人は、ほんのひとにぎりでしょう。

禅の真髄《しんずい》は、「『いま』という名の、カミソリの刃の上を歩くこと」に凝縮《ぎょうしゅく》されます。寸分《すんぶん》のすきもないほど「いまに在る」と、いかなる問題もいかなる苦しみも、「ほんとうの自分」でないものは、消えてしまいます。時間のない「いまに在る」と、問題はすべて溶けてなくなります。「苦しみ」が存在するには、時間が必要なのです。苦しみは「いま」の中で、生きのびることができません。

偉大な禅僧の臨済《りんざい》は、弟子《でし》たちが時間にとらわれていると、指を挙げてゆっくりとこうたずねたものでした。

「『いま、この瞬間』に、いったいなにが欠けていよう？」

頭で考えて答えることができない、このダイナミックな質問は、相手の注意をことごとく「いま」に引きつけることを意図したものです。これに似た禅の言い回しに「いまでなければいつ？」というものがあります。

「いま」はイスラム教神秘主義スーフィズムの根幹をなす要素でもあります。スーフィズムにはこんなことわざがあります。「スーフィズムは『いま』という時の子供である」

スーフィズムの指導者であり、詩人でもあるルーミーは、こう呼びかけています。「過去と未来は、神をおおいかくして、わたしたちの目をくらます。過去と未来は炎で燃やしつくそう」

十三世紀の神秘主義者、マイスター・エックハルト［Meister Eckhart；ドイツの神学者］は次のように表現しました。「時間は、わたしたちから光をさえぎる。『神の道』を歩むうえで最大の障害は時間である」

第5節 「いまのパワー」とつながろう

問い あなたが、「『いま』が唯一の現実で、『過去』と『未来』は幻です」と、お話ししていた時、なぜか窓の外の木に目がとまりました。幾度となく見たはずのあの木が、その時まるっきり違って見えたんです！ かたちはいつもと同じだったんですけど、色が普段《ふだん》より鮮やかで、輝いていたんですよ！ わたしは木の本質をさとったと言うか。うーん、なんて表現したらいいんだろう……。目には見えない、木に宿《やど》る魂みたいなものを、感じたんです。わかりやすければ、「木の精霊《せいれい》」と呼んでもいいと思います。しかも、なぜかわたし自身があの木とつながっていたんです！ わたしは、ハタと気づきました。わたしがこれまで見ていたのは、平面的な「死んだ木の姿」だったんです。「木のほんとうの姿」は、見えていなかったんですよ。でもほら、わたしがこうして木を見ているあいだにも、その気づきは、少しずつ自分から失われていってるんです。経験は過去のものとなりつつあるんです。こういった感覚を一瞬のうちで失わずに、ずっと持続させていくことはできるんですか？

答え あなたはその時、「時間の世界」を超えたんですよ！ あなたは「いまに在った」ので、思考というスクリーンを通さないで、木を見たんです。あなたは「大いなる存在」につながっていたのです。時間のない世界では、これまでとは違う、新しい見方をするようになります。それは万物《ばんぶつ》に宿る生命がはっきりとわかる見方です。生命の神聖さや神秘を理解し、すべてをあるがままに貴び、すべてに深い愛情を注ぐ見方です。

一方、頭脳は、木をこのように見ることはできません。頭脳ができるのは、木に関する事実と情報を知ることだけです。わたしの頭脳は、「ほんとうのあなた」を見ることができません。わたしの頭脳ができるのは、あなたに関する事実を知り、判断をくだすことです。わたしの「大いなる存在」だけが「ほんとうのあなた」を見ることができるのです。わたしたちはみな、思考力と「知識の貯蔵庫」を持っています。しかし、このふたつは、あくまでも実用的な目的を果たすためのものなんです。

あなたは、「時間の世界」を超えると、ものの見方が変わる、ということを体験しましたね。その経験がどんなに美しくても、瞬間的に経験するだけでは、さとりをひらくことはできません。さとりをひらくには、永続的に意識をシフトさせることが必要です。

そのためには、「いま、この瞬間」を否定する、または拒絶する、というこれまでの習慣を脱ぎ捨てましょう。かわりに、必要以上に過去と未来を見ないことを、新たな習慣にしましょう。日常生活の中で、可能な限り、「時間の世界」の外に出るようにしましょう。「いまに在る」のが困難な時は、「いま」から脱け出したがる、思考を観察することからはじめてください。すると、たいてい思考が悲観的、もしくは楽観的な未来をイメージしていることに気づくものです。想像の中の未来が明るいものなら、わたしたちに希望や快《こころよ》い期待感をもたらしてくれます。逆にもし悲惨《ひさん》なものなら、不安感がわき上がってきます。しかし、どっちにしても、それは幻にすぎません。
このように思考を観察すれば、自動的に「いまに在《あ》る」ことができるようになります。「しまった！『いまに在《い》ない！』」と気づいた時には、わたしたちは「いまに在る」状態なのです。自分の思考を観察できている時には、もはや思考のわなにはまっていません。

どんな場面でも、自分のリアクションや、思考と感情の動きを観察して、「いま」に在りましょう。少なくとも、自分にリアクションを起こさせた人や物事に対して関心を払うのと同じくらい、自分のリアクションにも関心を払うようにしたいものです。また、自分がどれくらい過去や未来に照準を合わせているかも、観察しましょう。でも、観察する対象に評価を下《くだ》すことや、分析することは必要ありません。自分自身の過失ととることも控《ひか》えましょう。思考を見張り、感情を感じ、リアクションを観察する。これで十分です。すると、自分の内面にあるパワフルな「なにか」を感じはじめるはずです。思考の奥にある、じっとして動かない存在です。

強い感情エネルギーを伴うリアクションをしてしまった時には、普段にもまして「いま」に在《い》なければなりません。自分のイメージがおびやかされる、恐れを抱くような試練に直面する、計画が狂いだす、コンプレックスがわき上がってくる、などの状況で、わたしたちは、えてして「無意識」になってしまうものです。つまり、感情のおもむくままに行動してしまうのです。自分を正当化し、誰かを悪者にして攻撃します。ただし、この一連のことをしているのは、「ほんとうの自分」ではありません。思考が習性としてやっているのです。

思考を「ほんとうの自分」とみなすと、思考のエネルギーはさらにパワーアップされます。逆に、思考を観察すれば、思考のエネルギーは弱まります。思考とひとつになることは、「時間の世界」に住むことを意味します。ところが思考を観察すれば、時間のない次元が開けてくるのです。「いまに在る」ことが、どういうことなのか、経験的につかめれば、時間を必要とする時以外には、「時間の世界」から自由に脱け出すことができるようになります。かと言って、時間を使わなければならない時に、その能力を損なうこともありません。むしろその能力が高められるのです。いざ思考を使う時には、いっそう、とぎすまされたものになり、集中して使えるようになります。

第6節　「時間の概念」を手放そう

実用的な目的で、時間を活用し（これを「時計時間」と呼ぶことにします）、用事がすんだあとは、ただちに「いまに在る」意識に戻る方法を、身につけましょう。こうすれば「心理的時間」を心に積もらせたりしません。「心理的時間」とは、過去と未来をアイデンティティに使ってしまうことです。

「時計時間」は予約をしたり、旅行を計画したりすることだけではありません。二度と同じあやまちをくりかえさないように、過去の経験から学ぶことも、そのひとつです。ゴールを定め、それに向かって邁進《まいしん》することも同様です。過去に学んだことを考慮に含め、パターンや法則で未来を予測し、的確な手段を講《こう》ずることも、またしかりです。

ただし、過去と未来なしに、物事を進められない場面でさえ、「いま」という時が中心になります。過去で学んだいかなるレッスンも、「いま」に関連し、「いま」に適用されます。いかなるプランニングもゴール達成に向けての努力も、それをするのは「いま」です。

さとりをひらいた人の意識は常に「いま」に注がれています。しかし、このような人たちも、意識のかたすみに、ちゃんと時間をおいています。言いかえるなら、「時計時間」を活用しているものの、「心理的時間」にまどわされていないのです。

うっかり「時計時間」を「心理的時間」にすりかえてしまうことがないように、注意しましょう。たとえば、過去に失敗をして、「いま」そこから学ぶのであれば、それは「時計時間」を使っていることになります。ところが、精神的に失敗にひたりきって、批判、後悔、罪悪感などで、自分を責めているようなら、あやまちを「自分の一部」にしていることになりますから、「心理的時間」を使っているのです。「心理的時間」はいつも、にせのアイデンティティと結びついています。人や出来事を許せないという、こわばった心は、必ずと言っていいほど、心理的時間にとらわれている証拠です。

目標を定め、それに向かって努力するなら、「時計時間」を使っていることになります。自分がどこに向かっているかを、よく認識したうえで、「いま、この瞬間」、自分がとっているステップに、全意識を集中させるのです。一方、もし幸せ、充実感や、立派なアイデンティティなどを求めて、ゴールだけに焦点をしぼると、「いま」はなおざりにされています。「いま」は、未来に到達するための、価値のない、ちっぽけな踏み台になってしまいます。「時計時間」は「心理的時間」に姿を変えます。人生の旅は、もはや「冒険」ではなくなり、味気《あじけ》のない「義務行為」になり果てます。プレゼントの包みを開ける時のような、わくわくした気持ちは失われ、道ばたに咲く花々に目をとめたり、その甘い香りをかごうとしたりすることもなくなります。「いまに在る」時には、自分の周りで、万華鏡《まんげきょう》のようにくりひろげられる美や、生命の奇跡に気づくものですが、そんな体験もできないでしょう。

問い　「いま」が、なによりも貴重であることは、よくわかりました。でも、時間は幻にすぎないという考え方は、どうも納得できません。

答え　わたしは、「時間は幻です」と言って、哲学的な理論を表明しているわけではありません。とても素朴な事実を、みなさんに気づいてもらいたいだけなんです。この事実は、あたりまえすぎて、逆にわかりにくかったり、意味がないことのように、聞こえるかもしれません。しかし、この事実を、ひとたび完全にのみこめたら、思考が織りなす問題を、一刀両断してしまえるのです。もう一度言います。「いま、この瞬間」だけが、わたしたちに与えられた「すべて」です。わたしたちの人生が「いま、この瞬間」でなかった時など、絶対にありませんでした。これは事実ではありませんか？

第7節 「心理的時間」がなぜ有害なのか?

「心理的時間」の集合的な表われ方について考えてみると、それがまぎれもなく「心の病」であることに、納得できるはずです。「心理的時間」は、国家主義のかたちで表われます。厳格な宗教体制も例外ではありません。それらはみな「至高の善は未来に存在するため、目的は手段を正当化する」という信念に基づいています。目的というのは、思考がイメージした考えで、未来の幸福、目標の達成、権利や自由の獲得などを、意味しています。ゴールに到達するための手段が、現時点では人を奴隷《どれい》にすること、拷問《ごうもん》することであることも、珍しくありません。

では、今度は自分の思考パターンについて考えてみてください。あなたの思考は、人生を望ましい方向に舵取《かじと》りしていますか? あなたはいつも「いま」から逃れ、どこかへ行こうとしていますか? 自分がしていることのほとんどは、目的を達成するための手段でしょうか? ゴールは、いつもすぐ目の前のものですか? それは、セックス、食事、飲酒、ドラッグ、スリルなど、つかの間の快楽ですか? あなたはいつも、目的を達成すること、なに者かになることに、焦点を当てていませんか? もしくは、とっかえひっかえに、新しいなにかを求めていますか? もっとなにかを手に入れれば、もっと自分が満たされ、価値ある人間になり、精神的に成長するでしょうか? 人生を意義あるものにするための、パートナーの出現を待っていませんか？

思考とひとつになっていると、「心理的時間」が、「いまのパワー」、すなわち無限の創造力に、ふたをしてしまいます。人生から、活気、新鮮さ、驚きのフィーリングが失われます。思考が同じパターンの台本をつくり、似たような、感情、行動、リアクション、欲望をくりかえし演じてしまいます。たしかに、そうすることで、アイデンティティのようなものが得られますが、同時に「いま」という現実をゆがめ、ヴェールで、おおいかくしてしまいます。すると心は、不満だらけの「いま」から逃げるために、未来に夢中になってしまうのです。

第8節　ネガティブ性と苦しみの原因は「時間の概念」

問い　でも、「未来が現在よりも良くなる」と信じるのは、必ずしもマイナスとは言えないんじゃないかな？　だって悲惨な状況が、未来に好転するというのは実際よくあることでしょう？

答え　未来というものは、たいてい現在の「コピー版」なんです。表面的な変化は、たしかにあるかもしれませんが、本質的な変化ではありません。本質的な変化が起こるかどうかは、過去を溶かしてしまえるほど、「いまに在《あ》る」ことができるかどうかに、かかっています。わたしたちが未来とみなしているものは、現在の意識の状態を反映したものです。
現在の自分の心が、過去の重荷を背負っていると、未来にも同じようなことを、いっそう強く経験するようになります。十分に「いまに在《い》ない」と、過去はどこまでも、わたしたちを追いかけてきます。いまの、「自分の意識」が、未来をつくっているのですから。それをしているのも、もちろん「いま」です。宝くじで一千万円当たるようなことでも、究極的には、さざ波のような変化なんです。それまでより豪華な環境のもとで、相変わらず同じパターンをくりかえしていくからです。

現時点での意識が未来をつくっていると言いました。では、いったいどうすれば現在の意識を高められるのでしょう？　それは、「いまに在ること」です。真の変化が起こり得る唯一の時は「いま」であり、過去を溶かせる唯一の場所も「いま」しかありません。

どんな種類のネガティブ性も、「心理的時間」にとらわれることと、「いま」を否定することに端《たん》を発しています。「不快感」「不安」「緊張」「ストレス」は、すべて恐れの一種ですが、あまりにもたくさんの「未来」と「いま」の欠如《けつじょ》が原因です。「罪悪感」「後悔」「怒り」「不満」「悲しみ」「恨《うら》み」などの許せない心は、たくさんの「過去」と「いま」の欠如が原因です。

ネガティブ性のない意識でいることなど、不可能だと思っている人は多いでしょう。しかし、これこそが、あらゆる魂の教えがわたしたちを導こうとしている、意識の状態なのです。これが、教えの約束する「さとり」であり、しかも、それは幻の未来に起こるのではありません。「いま、この瞬間」「ここ」で実現し得るものです。

「『時間』が苦しみと問題の原因である」ということは、にわかには信じられないかもしれません。人生で起こる出来事が原因だ、というのが大方の見方ですから、みなさんがそう信じたがるのも無理はありません。でも、思考の機能障害である、過去と未来へのしがみつきと「いま」の拒絶に、とりくまないと、問題はずっと「一難《いちなん》去ってまた一難」というパターンを描きつづけるのです。

あなたが、すべての問題や、苦しみと不幸の原因を、今日一日のうちに、奇跡的にもすべて取りのぞけたと仮定しましょう。それでも、もっと「いまに在る」生き方をしなければ、まもなく問題や苦しみをもたらす、似たような状況に直面することになります。まるで影のように、どこまでもあなたについてくるのです。つきつめると、問題はひとつに絞られます。それは「時間にしばられた自分の心」です。

問い 問題をひとつも抱えない状態になれるなんて、想像もつきませんが……。

答え あなたのおっしゃることは、ある意味、そのとおりなんです。わたしたちはその状態になれません。なにしろ、わたしたちは「いま」その状態にいるんですから。さとりは、「そのうちに」ひらけるものではありません。わたしたちは「未来に」自由になることは、できないのです。「いまに在る」ことが自由へのカギであり、わたしたちが自由になれるのは「いま」しかありません。

第9節　さまざまな出来事の根底にある「人生」を見いだそう

問い　逆立ちしたって、「いま」自由になんてなれませんよ。わたしは、あいにく人生の嵐にうちのめされているところなんです。これはうそ、いつわりのない事実です。なにもかもが、めちゃくちゃなのに万事《ばんじ》オーケーだと、自分に言い聞かせるなんて自己欺瞞《ぎまん》もいいとこです！　わたしにとって、「いま」はどん底なんです。さとりなんてひらけるわけがありません。せめてもの救いはこの先いくらかは見通しが明るくなるだろうという、未来への希望だけなんです。

答え　あなたは、自分が意識を「いま」に集中させている、と思いこんでいるようですが、実際は、まだ時間にとらわれています。わたしたちは、完全に「いまに在り」、同時に不幸でいることなどできません。

あなたが人生と呼んでいるものは、厳密に言うと、「人生の状況」なのです。それは「過去」と「未来」という、心理的時間の中に存在しています。過去に、あなたの思いどおりにいかなかった出来事がありました。あなたはその出来事に抵抗し、「すでにそうであるもの」に、いま目をそむけています。希望は、たしかにあなたを前に進ませるかもしれませんが、あなたの意識を未来にくぎづけにしてしまいます。未来に焦点を当てつづけると、「いま」への拒絶もつづき、したがって不幸も永久になくなりません。

問い　わたしが苦しんでいるのは、過去の出来事がつくった「人生の状況」によるものだということは認めますが、それでも、いまの状況であることには変わりありません。しかも、それが自分をがんじがらめにしていることが、なによりも不幸の原因なんです。

答え　「人生の状況」のことは、ちょっと忘れて、「人生そのもの」に目を向けてみては、いかがですか？

問い　いったい、どこが違うんですか？

問い　「人生の状況」は、時間の中に存在します。

あなたの人生は「いま」です。

「人生の状況」は「思考の産物」です。

あなたの人生は「現実」です。

「人生にいたる狭き門」を見つけましょう。それは「いま」という名前です。あなたの人生を、「いま、この瞬間」にせばめるのです。あなたの「人生の状況」は問題だらけかもしれません（ほとんどの人の「人生の状況」がそうなのですから）。でも、「いま、この瞬間」になにか問題がありますか？　明日ではなく、十分後でもなく、たった「いま」です。なにか「いま」問題がありますか？

思考が問題にまみれている時には、アイディアやひらめきがはいりこんでくる余地もありません。ですから、できるかぎり、自分の内面に、ある程度はスペースをつくるようにしましょう。そうすると、さまざまなごたごたの根底にある人生が見えてくるものです。

感覚をとぎすませましょう。自分が「いま」いるところに、完全に「在り」ましょう。ちょっと周りを見渡してみてください。判断をくださないで、ただながめるだけです。光を、かたちを、色彩を、風合いを感じましょう。すべてのものに息づく、「大いなる存在」に気づきましょう。音に耳をすませてください。決めつけをしないで、音の根底にある静けさを感じとってください。なにかに触れてみましょう。なんでもいいですから。手触りを感じ、そこにある「大いなる存在」を認識しましょう。

では、自分の呼吸のリズムを観察しましょう。出たりはいったりする、空気の流れを感じてください。からだの内側の生命エネルギーを感じてください。内側のものも、外側のものも、すべてをあるがままに受けいれましょう。さらに強烈に「いま」に在りましょう。

あなたは、蜃気楼《しんきろう》のような、思考と時間がつくる世界をあとにします。あなたは時間という夢から目覚め、「いま」を生きはじめるのです。

第10節 問題はすべて、思考がつくりだす妄想

問い お話を聞いていたら、肩の荷が一気におりました！ 気分が軽くなったと言うか、目の前の霧がパーッと晴れたみたいです。ただ……。いろいろな厄介事《やっかいごと》は、依然としてわたしを待ち受けているんです。そうじゃないですか？ 意識が高まったと言ったって、決して問題が消えてなくなったわけじゃありません。これってただの一時しのぎじゃないんですか？

答え やれやれ。あなたはせっかく天国にいても、しばらくもしないうちに、心の中で「うわーすごいや！ いや、ちょっと待てよ……」なんて言いだすでしょうね。わたしは、問題を片付けることについて、どうこう言ってるんじゃありません。「問題なんて、はなっから存在しませんよ！」と、言ってるんです。実際に存在するのは「いま」とりくまれるべき「人生の状況」か、またはとりくめるようになるまでは、あるがままに受けいれるしかない「人生の状況」なんです。問題というものは思考の産物であり、時間がなければ、存在できません。問題など、「いま」という現実の前にはシャボン玉のように、消えてしまうんですから。

「いま」に意識を集中させて、「いま、この瞬間」どんな問題があるか、挙げてみてください。

答えがありませんね。それでいいのです。「いま」に完全に意識を集中させていれば、問題を抱えることなどできません。処理すべき、受けいれるべき状況は、たしかにあるでしょう。でも、なぜ「状況」を「問題」に変えてしまうんでしょう？　生きること自体が十分チャレンジではないですか？

どうしてわたしたちは、なんでもかんでも問題にしてしまうんでしょう？　その理由は、思考が無意識のうちに、問題を愛しているからです。なぜでしょう？　それは思考に存在価値を与えるからです。これは人間にとってごくあたりまえのことであると同時に、「苦しみと不幸」の根源なのです。「問題を抱えている」ということ自体、意識が「人生の状況」にどっぷりとつかり、気づかないうちに、それが自分の一部になってしまっていることを意味します。人生で遭遇する「状況」に圧倒されるあまり、ほんとうの意味の「人生」を失ってしまっているのです。または、「いま」できる、ひとつのことに集中するかわりに、自分がこれからやるべき百のこと、という「重荷」を背負って、自分の心を押しつぶしているのです。

問題をこしらえるということは、すなわち、痛みをこしらえることです。わたしたちがとるべきステップは、とても簡単な決断をすることだけです。「どんなことが起きようと、わたしはもう二度と『状況』を『問題』に変えて、自分に痛みを与えない！」こう決断することです。とても簡単に聞こえますが、天地がひっくり返るくらいドラスティックな改革です。痛みはもうこりごりだと、心底感じていない人や、散々な目にあったと思っていない人は、その決断をしないかもしれません。そして、「いまのパワー」につながらなければ、この改革は実行できません。自分に痛みを与えない人は、人にも痛みを与えることはありません。問題をこしらえるというネガティブなエネルギーで、美しい地球、人間の集合意識を汚染することもなくなります。

生死にかかわるような、絶体絶命の危機に遭遇すると、そのような危機ですら、「問題」というものではないと、はっきりわかるはずです。状況を問題に変えるという、悠長《ゆうちょう》なことをしている暇がないからです。非常時には思考活動はストップします。あなたは一〇〇パーセント「いまに在り」、とてつもなく偉大な力が主導権をにぎります。これこそ、ごく普通の人が、極限状態におかれると、信じられないような勇気ある行動をとり、いわゆる「火事場のばか力」を発揮するという報告を、よく見聞きする理由です。生きるか死ぬかの瀬戸際には、どちらに転ぶのかは問題ではなくなります。

「問題はすべて幻ですよ」、とわたしが言うと、むきになって怒り出す人もいます。その人たちは、自分のイメージがおびやかされている、と感じるからです。こういう人たちは「にせの自己イメージ」に、膨大な時間を費《つい》やしているものです。要するに、長い年月をかけて問題や痛みによってアイデンティティをつくり上げているのです。問題や痛みぬきでは、自分が誰なのか、わからなくなってしまうんです。

わたしたちの言動、思考の大部分は、実のところ恐れが原動力になっています。そして、くりかえし述べてきたように、未来に焦点を当て、「いま」から目をそらしていることが、恐れの原因です。「いま」には問題が存在しないように、恐れも存在しません。

たとえ「いま」とりくまれるべき状況が持ち上がっても、「いまに在る」かぎり、行動は的を射たものになります。そのほうがずっと良い結果を導くものです。行動は、過去の経験によって条件づけられた思考が起こすリアクションではなく、洞察力によるものです。なにもせず、じっと「いまに在る」ほうが、へたに行動するよりも、ずっと効果的だと判断することもあるでしょう。

第11節　新たな意識レベルへの大きな飛躍

問い　あなたが説明なさったような、思考と時間から自由になった状態を、少しのあいだ経験したことはあります。でも、過去と未来の存在があまりにも強力で、その状態を維持できないんです。

答え　時間にしばられた意識の状態は、わたしたちに習性としてしっかりと埋めこまれています。しかし、いまここでわたしたちがしていることは、地球上のみならず、それを超えるレベルで起こっている、大規模な集合意識の変容の一環なのです。意識が物質、形態、分離という夢から覚めること、とも言えるでしょう。「時間の世界」に、終わりを告げるのです。

問い　これまでの、思考に偏《かたよ》った意識状態、または「無意識状態」と呼ぶ、この習慣の打破は、わたしたちが、自発的におこなうべきことなんですか、それとも、自然にみなが変わっていくんでしょうか？　つまり意識の変容は必然的なんですか？

答え　それはとらえ方によります。「なにかをすること」と、「なにかが起こること」は、実際には同じプロセスなんです。わたしたちは、総体としての意識とひとつだからです。自分の意識だけを、そこから切りはなすことはできません。しかし、人類が必ず意識の変革をやり遂げる、という保証はどこにもありません。それは、必然でもなければ自動でもありません。わたしたちひとりひとりが、重要な役割をになっているのです。

第12節　「いまに在る」喜び

自分が「心理的時間」にとらわれているかどうかを知る、簡単なテストがあります。こう自問するのです。「わたしがしていることに、喜び、安らぎ、楽しさはあるだろうか？」もし答えが「ノー」なら、人生を重荷か苦闘とみなしているために、「いま」を時間でおおいかくしてしまっているサインです。

たとえ自分がしていることに、喜びも、安らぎも、楽しさも感じられないとしても、それは、必ずしも行動そのものを、変えるべきだ、という意味ではありません。「どのように」おこなっているかを、変えるだけで十分かもしれないのです。「どのように」おこなうかは、「なにを」おこなうかよりも常に大切です。おこなうことで達成できる結果よりも、行動そのものに、焦点を当てるようにしましょう。意識を最大限、なんであれ、いまの瞬間が運んできたものに、向けるのです。「いま」を、あるがままに受けいれるのです。なにかに完全に意識を集中し、同時にそれを拒絶することはできませんから。

「いま、この瞬間」を尊重したとたん、不幸と苦悩はすべて消え去り、人生は喜びと安らぎとともに、スムーズに流れはじめます。「いまに在る」意識で行動している限り、あなたのすることはすべて、どんなささいな行動でも、高潔《こうけつ》、思いやり、愛が原動力になります。

行動の結果だけに、こだわってはなりません。行動そのものに意識を集中させるのです。そうすれば、成果は自《おの》ずとついてくるものです。これは威力ある、精神の鍛錬《たんれん》です。現存する中でかなり古く、かつ美しい精神の教えに、「バガヴァッド・ギーター」[Bhagavad Gita；ヒンドゥ教の聖典のひとつ]と呼ばれるものがあります。この教えは、行動の結果に執着しないことをカルマ・ヨガと名づけ、「神にささげる行動」と表現しています。

「いま」から逃れようとするあがきがなくなると、「在ること」の喜びが、行動すべてにあふれはじめます。わたしたちが意識を「いま」に向けると、「心の平安」「自分が存在する」「自分がぴったりと静止している」と感じます。すると、もう未来に満足感や達成を求めたりはしません。未来に「さとり」を求めたりしません。物事の結果に執着しなくなります。失敗も成功も、「わたしは在る」という、たしかさを、おびやかしたりしません。あなたはついに、「人生の状況」の奥に存在する、「人生」を見いだしたのです！

心理的時間にとらわれていないと、アイデンティティは、過去ではなく、「大いなる存在」をよりどころにしています。そうすると、「ほんとうの自分」以外の、誰かになろうという欲求はもはやありません。「人生の状況」という点では、わたしたちは、物理的に豊かになったり、知識を蓄《たくわ》えたり、成功者になったり、重荷から解放されたりするかもしれませんが、「人生」という、より深いレベルでは、「いま、この瞬間」わたしたちはすでに完全無欠なのです。

問い　あなたのおっしゃる、完全無欠のレベルに到達しても、なおわたしたちは、物質界のゴールを達成できるものなんですか？

答え　もちろんです。ただし、その場合には、もう人や物が、未来に自分を救ってくれるだろう、幸福にしてくれるだろう、といった幻想にすぎない期待を抱くことはなくなります。「人生の状況」という点からすると、達成したいことや、獲得したいものはあるでしょう。それは得ることと失うことで成り立っている物質的な世界の中のことです。しかし、深いレベルでは、わたしたちはすでに完全無欠です。そのことに気づいたとたん、自分がなにをしていても、心の底には愉快さ、楽しさのエネルギーが、流れるようになります。心理的時間にしばられていないため、恐れ、怒り、不満を原動力にしません。自分以外の誰かになる必要もないので、ガツガツと目標を追い求めたりもしません。また、失敗（これはエゴにとって致命傷です）に対する恐怖心で、行動が抑制《よくせい》されることもありません。アイデンティティを「大いなる存在」から引き出し、「○○になりたい」という欲望から解放されている時には、物事の結果に執着《しゅうちゃく》しないため、恐れを感じることはありません。永遠ではないところ――得ること、失うこと、生まれること、死ぬことで成り立つこの世界――に永遠を求めたりしません。状況、状態、場所、人が自分を幸福にするべきだと思いこんで、その期待が裏切られた時に、苦しむということがなくなります。

あらゆるものを貴び、同時になににも執着しません。かたちそのものは生まれ、滅びていきます。しかし、かたちの根底にある、「永遠のもの」をちゃんと認識しています。「なにものも、『ほんとうのもの』はなにがあろうと、その存在がおびやかされることはない」ということを知っています。

これがあなたの「在り方」ならば、あなたが成功しないはずがあるでしょうか？　あなたは、すでに成功しているではありませんか！

第4章

思考はいつも「いま」から逃げようとしている

第1節　「いま」を失うことが、間違いのはじまり

問い　仮に、時間を幻だと認めたって、それでわたしの人生がどう変わると言うんですか？　結局はすべてが時間によってコントロールされている、この世で生きていかなきゃならないんですよ。

答え　社会的なルールはまた別問題で、これはあなたの生き方に大して影響を与えません。「時間は幻である」ということが、真実であるとわかるためには、からだで覚えることです。からだの細胞がひとつ残らず、強烈に「いまに在《あ》る」ために、生命エネルギーがあふれ出し、人生のあらゆる瞬間が、喜びと感じられるようになれば、その時あなたは、ほんとうの意味で時間から解放されているのです。

問い　でも、明日の支払い期限を延ばすことはできないし、これからも着実に歳をとって、いずれはこの世を去る運命です。それがわかっていながら、「わたしは時間から解放され、自由なのだ！」なんて、嘯《うそぶ》いたりできませんよ。

答え　明日の支払い日が、問題なわけではありません。滅《ほろ》びゆく肉体が、問題なわけではありません。「いま」を失うことが問題なんです。むしろ、たんなる出来事を、個人的な問題や苦しみと受けとめる

という根本的な思い違いが、問題だと言ってもいいでしょう。「いま」を失うことは「大いなる存在」を失うことなのです。

時間から解放されると、アイデンティティを求めて過去にしがみつくことを止め、目標達成を求めて未来にしがみつくことを止めます。これは、あなたの想像をはるかに超えるほど、ダイナミックな意識の変容です。ごく稀《まれ》に意識の変容が荒療治《あらりょうじ》的に起こるために、自分から働きかけをしなくてすむケースもあります。これは、極限状態の苦しみのさなかで、すべてを手放す境地に達するからです。しかし、ほとんどの人は自主的に意識の変容にとりくまねばなりません。

時間にしばられない意識を、一度でも体験すると、その後はその状態と、「時間にしばられた意識」の状態を、かわりばんこに体験するようになります。自分が「いまに在《あ》る」時が、どれほど稀であるかにも気づいて、驚くことでしょう。でも、自分が「いまに在《い》ない」と、気づくことは大きな進歩です。たとえその状態が、時間にしてほんの二、三秒だとしても、そう気づいた時のあなたは、「在る」からです。いったんそれに気づくと、次第に、過去や未来よりも「いま」に焦点を当てる回数を、自分から増やすようになるものです。「いまに在る」状態を、しっかりと確立させるまでは、「いまに在る状態」と、「無意識状態（思考を自分自身とみなしている状態）」のあいだを、振り子のように行ったり来たりします。「いま」を失っては、とりもどし、また失ってはとりもどすのくりかえしです。最終的には、「いまに在る」状態が優勢になります。

大多数の人は、「いまに在る」状態を、生涯で一度も経験することがないか、経験したとしても、偶然で、それがなんであったのか認識することもなく、つかの間の出来事で終わってしまうかのどちらかです。たいていは、「いまに在る状態」と「無意識状態」のあいだではなく、いろいろなレベルの「無意識状態」の中で、さまよっているものです。

第2節 「無意識状態」にもさまざまなレベルがある

問い 「無意識状態」のレベルの違いについて、ご説明していただけませんか?

答え みなさんもご存知のとおり、わたしたちは睡眠中に、夢見の状態と、夢を見ない状態を交互に経験しています。これと同じように、ほとんどの人は覚醒《かくせい》時も、「普通の無意識状態」と「重症の無意識状態」を、交互に体験しているのです。わたしが普通の無意識状態と呼んでいるものは、自分の思考や感情、リアクション、願望、嫌悪などを「ほんとうの自分」だと思いこんでいる状態です。これがほとんどの人にとって、ノーマルな状態になっています。この状態では、自分の行動は、エゴ的思考にコントロールされています。もちろん、「大いなる存在」につながってもいません。どうしようもない不幸に苦しんでいるわけではありませんが、心のダイヤルは、いつも心配、不満、退屈、不安といった低い精神レベルに合わせてあるのです。心の中を、どんよりしたものが、一種のBGMのように流れつづけているのです。エアコンのブーンという低いノイズと同じように、自分の一部になっています。すっかり耳になじんでいるので、それがやまないかぎり、その存在自体にも気づくことはありません。それが突然やむと、安堵《あんど》感を覚えるものです。多くの人は、このBGMを取りのぞこうと、酒、ドラッグ、セックス、食事、仕事、テレビ、ショッピングなどを、麻酔薬がわりに使っています。しかし、そうすると、節度をもってすれば楽しい活動も、強迫観念や中毒症の性質を帯びるようになり、得られるものも急場しのぎになってしまいます。

このような「普通の無意識状態」は、物事が予期せぬ方向に展開すると、「重症の無意識状態」という痛みに変わってしまうのです。「重症の無意識状態」では、本人はよりいっそう深刻な苦痛や不幸の中にあり、それが誰の目にも明らかです。「物事が予期せぬ方向に展開する」ことの具体例を挙げてみると、エゴの存在がおびやかされる、厳しい試練、喪失(現実のものも想像上のものも)に直面する、人間関係のトラブルが生じるといったことです。重症の場合も、「普通の無意識状態」の痛みが強まっただけで、基本的なところは一緒です。

「普通の無意識状態」の場合、「すでにそうであるもの」に対して、思考が習慣的に抵抗や拒絶をすることで、不安や不満をつくりだしているのです。ほとんどの人は、不安や不満は人生とパッケージになっていて、避《さ》けられないものだとみなしています。エゴの存在がおびやかされる、エゴの存在価値が問われるなどの状況では、抵抗の度合いはいっそう強まり、怒り、極度の恐れ、敵対心、鬱《うつ》状態など、強烈なネガティブ性を呈《てい》してしまいます。こうして、感情的痛みとひとつになって、ペインボディのスイッチをオンにしてしまうのが、「重症の無意識状態」です。肉体的な暴力が起こるのも、「重症の無意識状態」におちいっていることが原因です。

人生でふりかかってくる難題に、自分がどのようにそれに対処するかが、どれほど「無意識に生きているか」を知るのに恰好《かっこう》のものさしです。おもしろいもので、難題にぶつかると、無意識に生きている人間は、さらに無意識の度合いを深め、意識的に生きている人は、さらに意識的になるからです。つまり、わたしたちは試練を、自らをゆり動かして、目覚めさせる道具にすることもできれば、さらに眠りを深めるための、睡眠薬にすることもできるのです。後者の場合には、普通の無意識状態である「夢」が、「悪夢」に一転するというわけです。

部屋でひとりくつろいでいる時、森を散歩している時、人の話を聞いている時などの平常時でさえ、「いまに在る」ことができないのであれば、なにかまずいことが起きた時（苦手な人物に対応する、厳しい境遇に立たされる、なにかを失う、失うかもしれないなど）、「いまに在る」のは、まず無理でしょう。「恐れ」を原動力にした感情的リアクションを示し、いっそう強い無意識状態に引きずりこまれてしまうのです。つまり、人生の困難は、自分自身を試すテストとも言えるのではないでしょうか。このテストにどんなマナーで対処するかが、周りの人はもちろん、自分自身にも意識の進化の度合いを示せる唯一の方法だからです。どれだけ長い時間、座禅していられるか、座禅中に、どんなビジョンが見えるか、といったことは尺度にはならないのです。

ですから、比較的物事がスムーズに運んでいる時に、意識的に生きるよう心がけましょう。そうやって「まずい状況」でも無意識にならないように、「いまに在る」能力をきたえ上げていくのです。こうすることが、自分自身の波動だけでなく、周りの人たちの波動をも高めます。「無意識状態」、「ネガティブ性」、「不調和」、「暴力」は、一切このエネルギー場に侵入できません。ちょうど光あるところに、暗闇が存在できないのと同じことです。

第3節 「いったいなにをそんなに欲しがっているんですか?」

カール・ユングは著書のひとつで、あるアメリカ先住民の族長と交わした会話について記述しています。「ほとんどの白人は、ピリピリした面持ちで、人を刺すような目つきをし、残酷なふるまいをする」、と族長は自分の見解をユングに語りました。さらに、彼はユングにこうも言いました。「白人たちは、いつもなにかを欲しがっている。いつも不安でそわそわしている。我々には、白人たちがいったいなにをそんなに欲しがり、なにをそんなに恐れているのか、全然理解できない。彼らの頭は、どうにかなってるんじゃないかね?」

人間がたえまなく不安を抱えるようになったのは、いまにはじまったことではありません。この問題は、イエスの生きた時代には、すでに存在していました。それからさらに五百年ほどさかのぼった、ブッダの時代にも存在していました。なぜ人間はいつも不安なのでしょう？

イエスは、弟子たちにたずねたものです。

「心配することで、あなたの寿命が一日でも延びるでしょうか？」

ブッダは、「苦しみの根底には、たえまない欲望がある」、と説きました。

「いま」に対する抵抗という機能不全が、「大いなる存在」とつながれないことへの決定的な原因であり、わたしたちから人間性を奪い去る、現代文明の基盤にもなっています。フロイトも人間の内部を流れている不安を認識し、著書「文化への不満」[Civilization and Its Discontents] に著しています。しかし、残念なことに、フロイトは不安の真の原因を発見できず、不安から自由になれる方法を解明するにはいたりませんでした。集合的な機能不全は、不幸で暴力的な文明をつくりだし、当の人間はもとより、地球上のすべての生命にとっても、脅威になっています。

第4節 「普通の無意識状態」を解消しよう

問い では、どうしたら、わたしたちは、この苦しみを取りのぞくことができるんですか？

答え　まずは、自分の苦しみを、きちんと観察することからはじめましょう。そうして、なにが自分に不安や不満を芽生《めば》えさせているかを、見極《みきわ》めるのです。「すでにそうであるもの」に対する決めつけや、抵抗、「いま」の拒絶など、無意識なものはすべて、意識の光で照らすことによって、溶けて消えてしまいます。

こうして「普通の無意識状態」の解消の仕方を身につければ、「いまに在る」ことで発する意識の光が輝きを増すようになり、「重症の無意識状態」の処理も、ずっと容易になります。ずるずると引きずられていくような落ちこみを感じたら、「重症の無意識状態」のサインです。「普通の無意識状態」は、慢性化しているために、最初はかえって自覚しにくいものかもしれません。

自分の思考と感情を観察することを習慣にしましょう。「いま、この瞬間、わたしの心は平和だろうか？」は、折にふれて自問するのに最適なものです。もしくは「いま、この瞬間、わたしの内面で、なにが起こっている？」でもいいでしょう。少なくとも、自分の外側で起こっていることに関心を持つのと同じくらい、自分の内面で起こっていることに、関心を持ちましょう。不思議なことに思えるかもしれませんが、自分の内面さえ平和なら、外側の状態も自ずと整ってくるのです。一番大切なものは内面であり、外側は二の次です。自分にこのような問いかけをする際には、面倒くさがって即答しないで、内面をじっくりと、よーく観察しましょう。あなたはどんな思考をつくりだしていますか？　なにを感じていますか？　今度は、からだに意識を向けてみましょう。どこかに緊張はありませんか？　不安のBGMに気づいたら、自分がどんな風に、人生から逃げているか、または、人生を否定しているかを認識しましょう。それは究極的には、「いま」を拒否することを意味しています。人間が気づかないうちに、「いま」に抵抗する方法は、枚挙《まいきょ》にいとまがありません。いくつか、以下に例を挙げましょう。心がけ次第で、自分の内面を観察する能力は、とぎすまされてきます。

第5節　「わたしは不幸だ」という気持ちを溶かそう

自分のしていることに嫌気がさしていますか？　それは仕事かもしれませんし、約束を果たすために、仕方なくしていることかもしれませんが、あなたの中に、それをいまいましく思って、抵抗している自分がいるのです。身近な人に対して、声にならない怒りを抱いていませんか？　あなたが発している怒りのエネルギーが、周りの人たちはもちろん、実は自分自身にもマイナスになっているということに、気づきませんか？　自分の内面を、しっかりとごらんなさい。そこにわずかでも、いらだちや、不承《ふしょう》不承《ぶしょう》おこなっている、という気持ちがありますか？　もしあるなら、それを感情と思考の両面で観察しましょう。あなたはどんな思考をつくりだしていますか？　さらに、その思考に付随《ふずい》する感情を観察してください。感情を感じとってみましょう。それは快《こころよ》く感じられますか？　それとも不快なものですか？　それは、自分が好ましく思える感情でしょうか？　あなたは「選ぶ権利」を行使していますか？

もしかすると、誰かがあなたにつけこんでいるかもしれません。自分のしていることが、うんざりするものかもしれません。身近な人が不誠実だったり、無意識に生きていたり、あなたをイライラさせているかもしれません。しかし、これらはすべて、「ほんとうの自分」とは無関係です。自分の思考や感情が、人や出来事に対して正当であるかどうかは、実は意味がないのです。問題なのは、あなたが「すでにそうであるもの」に抵抗している、という事実です。あなたが「いま、この瞬間」を敵にまわしているということです。あなたは内側と外側のあいだに葛藤《かっとう》をつくり、不幸を生んでいるのです。

あなたの不幸は、自身の内面や周りの人だけでなく、人間の集合意識にもマイナスの影響を及ぼしているのです。地球の汚染も、人間の心理的な汚染の投影なのです。多くの無意識な人間が、内面の状態に無責任なために生じた結果なんです。

ネガティブな思考や感情があるなら、原因であると思われる人に、あなたの考えをはっきりと伝えましょう。それができないなら、ネガティブな思考と感情を、きっぱりと捨てましょう。ネガティブなものをこしらえることが、いかに無益であるかに気づくことが、肝心《かんじん》なステップです。どんな状況にとりくむにしろ、ネガティブ性は、絶対に最適な方法を生みません。それどころか、ほとんどの場合、あなたを袋小路に追いやり、好ましい変化が起ころうとするのを、さえぎってしまうのです。ネガティブなエネルギーでおこなわれたことは、すべて汚染され、時間がたつにつれ、さらなる痛みや不幸を生みます。また、内面のネガティブ性は、たちの悪いことに、伝染してしまうものなんです。不幸は、どんな病気よりも簡単に伝染します。共鳴の法則で、ほかの人の潜在的なネガティブ性を刺激するからです。ただし、例外はあって、高い意識レベルで生きているために、免疫《めんえき》ができている人の場合は別です。

あなたの心は地球を汚染していますか？　それともきれいにするほうに貢献していますか？　自分の

内面の状態に責任を負っているのは、ほかの誰でもなく、自分自身です。わたしたちひとりひとりが、地球環境に責任を負っているのと、まったく同じ理屈です。人類が内面の汚染をきれいにすることができれば、環境を汚染することもなくなるでしょう。内面の状態に、外界がならうからです。

問い　どうしたら、あなたがおっしゃるように、ネガティブ性を捨てることができるんですか？

答え　とても単純なことです。難《むずか》しく考えないでください。捨てればいいんです。熱い石炭を手に持っていたら、どうやってそれを捨てますか？　必要のない、重い荷物を背負っているとしたら、どうやってそれを捨てますか？　もう痛みで苦しみたくない、もう重荷なんか要《い》らない、とわかったら、あとはそれをポン、と手放すだけです。

愛する人を失って負う深い痛みなど、「重傷の無意識状態」の場合には、持続的に痛みを観察して「いまに在り」、そこから生まれる光で「無意識状態」を溶かしていかねばなりません。「普通の無意識状態」の場合には、まず、「わたしはもうネガティブ性を望まない」と決断し、「わたしは条件反射で動くロボットではなく、選択する力を持っているのだ」と気づけば、容易に捨てることができます。ただし、これは「いまのパワー」とつながって、はじめて可能になります。「いまのパワー」がなければ、わたしたちには選択する自由もありません。

問い　ある種の感情に「ネガティブ」というレッテルを貼ることはあなたがまえに説明したような、善と悪の二元論にとらわれることになりませんか？

答え　それは違います。二元性は感情を抱くまえに、「いま、この瞬間」を悪いもの、嫌なものと決めつけた時点で、生まれているのです。すると、決めつけがネガティブな感情を生むのです。

問い　ある種の感情を「ネガティブ」と決めつけたら、その感情を抱いてはいけない、その感情を抱くことはオーケーじゃない、と言っていることになりませんか？　どんな感情でも批判せずに、自然なことだから、「それでいいんだよ」と受けいれるべきではないでしょうか？　嫌うのもオーケー、腹を立てるのもオーケー、イライラするのも、気分屋なことも、なんだってオーケー。そうしなかったら、感情を鬱積《うっせき》させて、葛藤や自己否定という、もっと始末の悪い事態にまでなりかねません。どんな感情も、あるがままで「オーケー」じゃないのかな？

答え　あなたの言っていることは、ある意味では正解ですよ。ひとたびネガティブな思考、感情やリアクションが起こったら、それはあるがままに受けいれてしまうしかありません。しかし、これは、「わたしには、選択する自由があるんだ」と、わかるほど意識のレベルが高まっていない時の話です。これは批判でもなんでもなく、たんなる事実です。あなたにもし選択する自由があるなら、または、自分に選択する自由があるとわかっていたら、苦しみと喜びのどちらを選びますか？　安らぎと不安のどちらを？　平和と争いのどちらを？　あなたにとって自然である、幸福や生きることの喜びを切りはなしてしまう思考や感情を選ぶでしょうか？　そのような感情を、わたしはネガティブと呼んでいます。単純に「悪いもの」という意味です。おなかの具合が悪いのと同じことです。

あなたの言うとおり、自分の嫌悪《けんお》やむら気、腹立ちをありのままに受けいれれば、もうそれらの感情にふりまわされて行動することはなくなり、人に当たり散らす可能性が減るというのは、たしかに事実です。ただ、あなたは自分自身をだましていないでしょうか？　しばらくのあいだ、この受容を実践していると、次の段階である、「ネガティブなものをこしらえないレベル」に進むべきだと、感じる時がやってくるものです。もしそうでないなら、あなたの受容は、エゴが不幸にひたるための、「わたしは万物《ばんぶつ》から孤立している」という意識を助長する、思考のレッテル貼りにすぎません。

みなさんも、すでにおわかりのとおり、なにもかもがはなればなれであるという原理は、エゴの存在の基盤となるものです。ほんとうの受容は、ネガティブな感情を、たちどころにまったく別のものに、変えてしまえるのです。あなたが言ったように、もしなにもかもが「オーケーである」とほんとうにわかっているなら（もちろんこれは真実です）、そもそもネガティブな感情を抱くでしょうか？　決めつけがなければ、「すでにそうであるもの」に対する抵抗がなければ、ネガティブな感情も、わき上がってくるはずがありません。あなたは口では「なにもかもオーケー」と言っていながら、心の底では、「なにもかもオーケーじゃない」と信じているのです。だから相変わらず、思考と感情の抵抗パターンがあり、ネガティブな気分になってしまうのです。

問い　それも「オーケー」じゃないんですか？

答え　あなたはご自分の「無意識でいる権利」、「苦しむ権利」を守ろうとしているみたいですね。それなら、心配はご無用です。誰もあなたからその権利を奪ったりはしませんから。ある食べ物で、おなかをこわすと気づいたら、あなたはそれでもまだそれを食べますか？　おなかが痛いことは「オーケー」だと主張して、食べつづけるでしょうか？

第6節　どんな状況にいても、「いま」「ここに」完全に「在ろう」

問い　「普通の無意識状態」の例を、もっと教えていただけませんか？

答え　声に出す、出さないは別として、自分がふだん文句を言っていないか、チェックしてみましょう。出来事や誰かの言動について、または環境、境遇、天気について、ぐちをこぼしていませんか？　なんであれ、文句を言うということは、必ず「すでにそうであるもの」を拒否していることを意味します。それはひとつの例外もなく、ネガティブエネルギーを発しています。文句を言う時、あなたは自分を被害者にしたてあげています。わたしたちが言葉を発する時には、自身に備わるパワーを行使しているのです。ですから、文句を言うかわりに、なんらかの行動をとるか、はっきりと発言するか（それが必要であり、かつ可能であるなら）、もしくはその場を去るか、受けいれることで状況を変えるのです。これ以外の行動はすべて非生産的です。

「普通の無意識状態」は、かたちはさまざまでも、どれもみな「いま」に対する拒絶に結びついています。「いま」は、言うまでもなく、「ここ」をも意味しています。あなたは自分の「いま」と「ここ」に抵抗していませんか？　自分がどこにいても、「どこか別の場所にいられたらいいのに」と思っていませんか？　そういう人にとって、「ここ」はいつも不満だらけです。自分がこのケースに当てはまっていないか、思考を観察しましょう。どこにいようと、完全にそこに「在り」ましょう。「いま」と「ここ」が耐えがたく、自分を不幸にするなら、あなたには三つの選択肢があります。ひとつは状況から身をひくこと。ふたつめは状況を変えること。三つめは状況を完全に受けいれること。自分の人生に責任を持ちたいなら、この三つの選択肢の中から、ひとつを選ぶことです。しかも、いますぐ選んでください。そして自分の選択が導いた結果を受けいれます。言い訳をしてはなりません。ネガティブなものをこしらえてはなりません。自分の内側のスペースは、いつもきれいにしておくのです。

状況から身をひくにしても、状況を変えようと試みるにしても、まずすべきことはネガティブ性を捨てることです。なにか手段を講ずるなら、洞察力から生まれた行動のほうが、ネガティブ性から生まれる行動よりも、ずっと効果的だからです。

もちろん例外はありますが、なにもしないよりは、なにか行動を起こすほうが、たいていは良い結果を生むものです。長期間にわたって閉塞《へいそく》状態がつづいている場合には、特にそれが言えます。たとえ自分のとった行動が失敗に終わったとしても、少なくとも、そこからなにかを学ぶことができるからです。

その場合には「失敗」は、もはや「失敗」ではありません。身動きがとれないままでは、学ぶことすらできないでしょう。行動をとろうとするのを、恐れが引きとめてしまうこともあるかもしれません。それなら、その恐れを観察しなさい。自分の意識をそれに集中させなさい。そうすれば、恐れと思考をつなぐ鎖《くさり》を断ち切れます。恐れが心に忍びこんでこないように、十分注意しましょう。それには、「いまのパワー」を使うことです。恐れは「いま」のパワーに太刀打《たちう》ちできません。

もしも、自分の「いま」と「ここ」を変える術《すべ》がなく、しかも、状況から身をひくこともままならないなら、心の抵抗を止め、自分の「いま」と「ここ」を完全に受けいれてください。すると、不幸で、怒りに満ち、自己憐憫《れんびん》にひたりたがる、「にせの自分」は、消えてしまいます。これが「とらわれを捨てること」です。「とらわれを捨てること」は、弱さではありません。ゆるぎない強さに裏打ちされています。すべてを手放した人間のみが、真のパワーを手にしているのです。手放すことで、心が完全に自由になれるからです。この境地に達すると、なぜか働きかけをなにもしなくても、状況が変化することがあります。ただ、状況が変わろうと変わるまいと、自分の心が自由であることには、変わりありません。

ある行動をすべきだと知っていながら、どうしても、それができないこともあるでしょう。そんな時は、勇気をふりしぼって立ち上がり、いますぐ行動に移してください。もし行動しないという選択をするなら、その時点での、自分の受け身な姿勢、意気地のなさ、怠惰《たいだ》を完全に受けいれましょう。完全にその状態にひたりきりなさい。その状態を存分に楽しみなさい。自分の状態を完全に意識できれば、まもなくそこからはい上がってくるでしょう。もしかするとそのままでいることが、その時の選択かもしれません。いずれにしろ、内面に葛藤《かっとう》、抵抗、ネガティブ性は存在しなくなるはずです。

あなたは、ストレスを感じていますか？　未来へ向かうのに忙しすぎて、「いま」の価値は、ゴールに到着するまでの手段になっていませんか？　ストレスは、「ここ」にいるのに「そこ」にいたいと思うことや、「現在」にいながら、「未来」にいたいと思うことで生まれるのです。そうすると、わたしたちの内面は、真二つに分裂してしまいます。内面にこのような亀裂を生じさせるのは、とても不健康なことです。「誰もがそうやって生きている」という事実は、それを良しとする理由にはなりません。

動くこと、働くこと、走ること、すべての行動に全力投球することによって、未来のことをイメージしたり、「いま」に抵抗したりする「すき」を自分にまったく与えないというのも、ひとつの方法です。そうしている時の自分の、波動の高いエネルギーを楽しみましょう。そうすればもうストレスを感じたり、自分自身をふたつに分裂させたりはしません。ひたすら動き、働き、走るのです。そして行動そのものを楽しむのです。またはすべてをほうり投げて、公園のベンチにぼーっと座っていることもひとつの選択です。ただし、その際には、自分の思考を見張りましょう。思考が、あなたにこうささやきかけるかもしれないからです。「おまえはなにやってんだ！　ほかにしなくちゃいけないことが山ほどあるだろう。時間のむだだよ！」思考を観察してください。そしてそれを笑いとばすのです。

過去の出来事が、思考活動の大きな比重を占めていませんか？　ポジティブなことにしろ、ネガティブなことにしろ、過去について頻繁《ひんぱん》に話したり、考えたりしていませんか？　それは、自分が達成した偉大な業績、冒険や体験でしょうか？　それとも、苦労話や自分の身にふりかかった惨事、逆に誰かを傷つけた出来事でしょうか？　思考が、罪悪感、プライド、嫌悪感、怒り、後悔、自己憐憫などの、マイナスの感情を生んでいませんか？　もしこれに該当するなら、「にせの自分」というアイデンティティを強固なものにしているだけでなく、過去を心の中に積み上げて、肉体の老化のプロセスを加速させているのです。身のまわりにいる、過去に強いこだわりを持つ人たちを観察して、この説の真偽のほどを、自分の目で確かめてみましょう。

すべての瞬間に過去を捨て去りましょう。わたしたちには、過去など必要ないのです。現在に解決しなければならないことがあって、どうしても過去を参考にしなければならない時だけ、そうしましょう。「いまのパワー」と「大いなる存在」の豊かさを、全身で吸いこみましょう。そうして、「わたしは、いま、ここに存在する」ということを、実感するのです。

あなたは不安ですか？「もし～だったら？」という考えを、いつも抱いていますか？　だとすると、思考が、未来の状況をイメージすることで、恐れをつくりだしているのです。未来の状況に、とりくむことはできません。それは、そもそも存在しないのですから。それは思考の中の幻なのです。

自分の呼吸を意識しましょう。からだを出たりはいったりする空気の流れを感じましょう。からだの内側のエネルギー場を感じましょう。わたしたちがとりくまなければならないのは、思考の世界に反し、実際には「いま、この瞬間」だけなのです。「いま、この瞬間」どんな問題があるか、自分にたずねてごらんなさい。来年でなく、明日ではなく、五分後でもなく、「いま、この瞬間」です。「いま、この瞬間」、どんな問題があるでしょうか？　わたしたちは、いつでも「いま」にならし、とりくめますが、未来にとりくむことは絶対に不可能です。でも、その必要もありません。その時その時の状況に必要な答え、力、手段は、必ずそこにあるはずです。それより前でも後でもなく、その時にあるはずです。

「いつの日か、絶対やってみせる！」あなたは、あまりにも目標に焦点を当てすぎているために、「いま、この瞬間」を、なおざりにしていませんか？　それは、物事をおこなうことの喜びを台無しにしていませんか？　あなたは「人生のスタート」を切る準備だけに気をとられてはいませんか？　未来重視の思考パターンが定着すると、なにを達成しても、なにを獲得しても、いつも未来がベターという幻想におちいり、現在は「不満足なもの」にとどまってしまいます。これこそが恒久的な不満足を手にいれる完璧《かんぺき》な処方箋《しょほうせん》ではないでしょうか？

あなたは「待つ人」でいることが習慣になっていませんか？　人生をどれだけ待つことに充《あ》てているでしょうか？　わたしが「小さなスケールの待つこと」と呼んでいるものには、郵便局の順番待ち、渋滞、空港での待ち時間、待ち合わせなどがあります。「大きなスケールの待つこと」には、次の休暇を待つ、もっと条件のいい仕事を待つ、子供が成長するのを待つ、意義のある関係をきずける相手の出現を待つ、成功するのを待つ、お金を稼《かせ》ぐのを待つ、ひとかどの人間になるのを待つ、さとりがひらけるのを待つ、などがあります。生涯を、人生のスタートを切る準備、すなわち「待つこと」に費やしてしまう人も珍しくありません。

「待つこと」は心理状態です。その根底には、「いまが嫌なので、未来を求めている」という事情があるのです。自分が持っているものを要らないと感じ、自分が持っていないものを欲しがっています。この種の「待つこと」をする人は、無意識のうちに、自分のいたくない「いま、ここ」と、自分のいたい、「イメージの中の未来」とのあいだに、ギャップをつくっています。これが心に葛藤を生み、「いま」を失い、人生のクオリティを著《いちじる》しく損《そこ》ねてしまうのです。

わたしはなにも、人生の状況を改善するための努力が、良くないと言っているわけではありません。この点を誤解しないでください。ただ、わたしたちが改善できるのは、あくまでも「人生の状況」であって、「人生そのもの」ではありません。人生は、一番貴重な宝物です。人生は、わたしたちの内側の一番奥で感じることのできる、「大いなる存在」です。人生はすでに完全無欠です。一方、「人生の状況」は、各個人の事情や経験から成り立っています。目標を定め、その達成に向けてひたむきにがんばることに、なんの問題もありません。問題はそれを、生きているという感覚、「在ること」の代用品にしてしまうところにあるのです。

たくさんの人たちは、金銭的な豊かさを待ち望んでいます。しかしそれは未来に実現するのではありません。わたしたちが「いま」の現実――自分のいる場所、自分がなに者であるか、自分がいましていること――を貴び、完全に受けいれると、わたしたちは「すでにそうであるもの」に感謝し、「大いなる存在」に感謝することになります。こうして完全無欠の人生である、「いま、この瞬間」に感謝することこそが、真の豊かさなのです。それは未来に可能になるのではありません。未来がやってくる時には、豊かさは幾通りもの姿で、その人の前に現われてくるはずです。
自分の持っているものに不満だったり、自分の現在の運を嘆《なげ》いていたり、フラストレーションを感じているなら、それは自分を金持ちにする後押しになるかもしれませんが、そのような心理状態で豊かになっても、心の中は永遠に満たされません。お金で買える、たくさんの経験ができるかもしれませんが、その喜びもつかの間にすぎず、それらはいつも虚《うつ》ろな気持ちを残していくので、さらなる欲求に苦しむようになるのです。「大いなる存在」につながっていない時には、わたしたちは「いま、この瞬間」という人生の豊かさを感じることができません。

心理的に「待つ」のは、もうやめましょう。未来を待ちわびていると気づいたら、すぐさまそこから脱け出し、「いま、この瞬間」にすぐはいりこみましょう。純粋に「いま」に在《あ》り、しかも「在《い》ること」を楽しむのです。「いまに在る」なら、どんな時でも、なにも待っていません。ですから、誰かに「お待たせして、ごめんなさい」と言われたら、こんな返答ができるのです。「全然構いませんよ！　わたしは待っていませんでしたから。わたしは喜びに満たされて、ただここに立っているのを楽しんでいただけなんです」

以上が「普通の無意識状態」の具体例です。これらは「不満のＢＧＭ」というかたちで、わたしたちの日常に、あたりまえのように溶けこんでいるために、簡単に見過ごされてしまいます。しかし、わたしたちが思考と感情を観察すればするほど、過去や未来のわなにはまってしまった時に（つまり、無意識状態の時に）、すぐそれに気づくようになり、時間という夢から覚め、「いまに在る」ことができます。

思考がつくる「不幸なわたし」は時間があるから生きていられるのです。「不幸なわたし」は、わたしたちが「いまに在る」と、消えてしまうことを知っているために、「いま、この瞬間」をとても恐れています。「不幸なわたし」は、わたしたちを時間という檻《おり》に閉じこめておこうとするのです。これをよく肝《きも》に銘《めい》じておきましょう。

第7節　人生という旅の「魂の目的」

問い　あなたがおっしゃることは、真実だとわかりますが、わたしはやはり、人間は人生という旅の中で、目的を持つべきだと思うんです。そうしないと、ただ漫然《まんぜん》と人生をおくり、流されてしまうのではありませんか？　でも、目的は未来を意味していますよね？　目的を持つことと、「いま」を生きることとはどうやって両立させるんですか？

答え　旅をしている時、自分がどこに行こうとしているのか、もしくは、どっちの方角に向かっているのかを知ることは、たしかに助けになります。ただし、わたしたちの旅の中で、ただひとつの究極の現実は、「いま、この瞬間」ふみ出している一歩だということは、決して忘れないでください。これまでも、これから先もそれがすべてなのです。

人生という旅には、外的な目的と内的な目的のふたつがあります。外的な目的は、自分が心に決めた目標に到達することであり、これは「未来」に結びついています。しかし、未来と目標にあまりにも気をとられすぎて、それらが「いま、この瞬間」のステップよりも、大きな比重を占めるようになったら、要注意です。旅の内的な目的をすっかり見失っているからです。

内的な目的は、自分の目的地や、行動となんの関係もなく、「どんなマナーでおこなっているか」に密接に結びついています。また、未来とは関係なく、「いま、この瞬間」の意識の状態にのみ関係しています。外的な目的は、時間と空間の「横軸《よこじく》の世界」に属しています。内的な目的は、時間のない、「いま」という「縦軸《たてじく》の世界」で、自分の「在り方」を深めていくことに関係しています。

あなたの外的な旅は、百万というステップが必要かもしれません。しかし、あなたの内的な旅は、たった一歩しかありません。あなたが「いま、この瞬間」とっている、その一歩です。この一歩についての認識が深まれば、その一歩は、それ以外のステップのみならず、目的地をも含んでいるということがわかるはずです。その時、この一歩は、完璧さと、美の表現に変わります。この一歩が自分を「大いなる存在」へと導き、「大いなる存在」の光が、その一歩を光り輝かせるでしょう。これが、わたしたちの「魂の目的」であり、ゴールです。人生という旅は、「ほんとうの自分」にたどり着くための旅なのです。

問い　外的な目的を達成するかどうか、つまり世間的な成功を収めるか、それに失敗してしまうかは、人間にとって大切なことでしょうか?

答え　大切なことでしょう。ただし「魂の目的」を達成するまでは、という条件つきです。それさえ達成していれば、物質界の成功など、ゲームの勝ち負けみたいなものです。「魂の目的」を達成したあとも、物質界のゲームをプレーしたいと思うかもしれません。それがただ、おもしろいからです。「魂の目的」の達成では勝利を収めながら、物質的な目的においては、完全な敗北者になってしまうことがあります。もちろん逆のケースもあって、物質的なゴールを達成しながら、「魂の目的」を達成し損ねる人もいます。このケースのほうが圧倒的に多いのです。物質的に豊かでいながら、心が貧しい。イエスの言葉、「世界を手に入れ、魂を失う」も同じことを表現しているのです。

物質的勝利は、遅かれ早かれ衰退の運命をたどります。外界のものはすべて、「諸行無常《しょぎょうむじょう》」の法則に左右されているからです。だから「物質的勝利から得られる充足感は、永遠につづかない」と気づくのが、早ければ早いほうがいいのです。外的ゴールの限界を知れば、それが自分を幸福にするという錯覚を抱かずにすみ、「魂の目的」に従うようになるからです。

第8節　「いまに在る」人には、過去など存在しない

問い　目的もなく、過去について考えたり話したりするのは、思考が「いま」から逃げようとしているからだとおっしゃいましたが、アイデンティティ確立にひと役買っている過去以外にも、わたしたちの潜在意識の中に、別の過去が存在するのではありませんか？　そして、その過去がその人の人生をコン

トロールしている、というのがわたしの推測です。幼い頃の体験とか、過去生の経験も関与しているかもしれません。さらに、自分が住む地域や、歴史上のどんな時代を生きているかといった、文化的なバックグラウンドもあります。こういったもろもろによって、個人のものの見方、反応の仕方、世界観、人間関係のきずき方、生き方が決まってくると思うのです。この潜在意識の過去を探り出すことや、それを取りのぞくことは可能なんでしょうか？　もし可能なら、そのレベルに到達できるまで、どれくらいの期間を要するのでしょう？　そういったお荷物の過去を取りのぞいたあとには、なにが残るんでしょう？

答え　幻想がなくなったら、そこにはなにが残るんでしょう？

わたしたちには、潜在意識にうもれた過去をあばく必要など、まったくありません。必要なのは、潜在意識の中の過去が、「思考」、「感情」、「欲望」、「リアクション」、「出来事」のかたちで、いま表われている、と認識することだけです。潜在意識の中の過去は、いつでも試練というかたちで、わたしたちの前にやってきます。過去を掘り下げると、底なし沼にはまってしまうことになります。過去の「発掘作業」には終わりがないからです。過去から自由になるには、過去を知る必要があり、そのためには時間も必要だと、あなたは考えるかもしれません。言いかえるなら、未来が、ゆくゆくは自分を過去から解放してくれると、信じているということです。しかし、これは幻想です。「いま、この瞬間」だけが、過去からわたしたちを自由にできるのです。時間が多ければ多いほど、わたしたちが時間の呪縛《じゅばく》から解放されるわけではありません。「いまのパワー」につながること。それがカギです。

問い　「いまのパワー」ってなんですか？

答え　「いま」に在り、「大いなる存在」につながることで手に入れられるパワーです。思考から解放された、意識のパワーとも言えます。

「いま」のレベルで過去にとりくんでください。過去に焦点を当てれば当てるほど、過去にエネルギーをチャージし、過去によって「にせの自分」のアイデンティティをつくりだす危険性があります。意識を向けるべき対象は「いま」です。自分の行動に注意を向けてください。同様に、反応、気分、思考、感情、恐れ、欲望にも注意してください。それらがわき上がってくると同時に、注意を向けるのです。自分の中に生きている過去がありますか？　批判せず、分析せず、決めつけもせずに、これらをすべて見張って、「いまに在る」ことができれば、わたしたちは同時に過去にもとりくんでいることになります。「いまに在る」パワーをとおして、過去を溶かしているからです。過去の中に自分を見つけることはできません。「いま、この瞬間」にはいりこんではじめて、「ほんとうの自分」を見つけることができるのです。

問い　どうして自分が、ある行動習性から脱け出せないのか、なぜ人間関係で同じようなパターンの「ドラマ」をくりかえしてしまうのか、といったことを理解するためには、過去の出来事を考察することが役に立つんじゃないですか？

答え　あなたが、もっと「いまに在る」ようになれば、自分がいつも独特のマナーで行動してしまう理由について、突然インスピレーションがひらめくようになるでしょう。たとえば、人間関係で問題を抱えているとすると、それに関連した過去の出来事を思い出したり、大局的な見地に立った全体像が見えてきたりします。それはそれで、助けにはなるでしょう。でもそれが不可欠だというわけではありません。肝心《かんじん》なのは、意識して「いまに在る」こと。それだけです。これが、過去を溶かせるからです。これが変化を起こす唯一の触媒《しょくばい》です。ですから、過去を知ろうと、答えを探してはなりません。そのかわり、できるかぎり「いまに在る」のです。過去は「いまに在る」人の中では、姿を消すほかに道がありません。わたしたちの「不在時」のみ、それは生存できるのです。

第5章

「いまに在る」ってどんなこと？

第1節　「いまに在る」ことは、頭で考える状態ではない

問い　「いまに在《あ》る」ことが、さとりの秘訣《ひけつ》だと、くりかえし強調していらっしゃいますね。わたしは、一応理解したつもりなんですが、自分の考えているものが、それなのか、いまひとつ、確信が持てません。「いまに在る」状態って、頭で考えることなんですか？　それともまったく違うものなんですか？

答え　「いまに在る」ことは、頭でこうだと思うことではないのです！　わたしたちは「在ること」について考えたりできませんし、頭脳はこれを理解できません。「いまに在ること」を理解する、ということは、すなわち「いまに在ること」なのです。

ちょっとした実験をしてみませんか？　目を閉じて、心の中で、こうつぶやいてみてください。「どんな考えが浮かんでくるだろう？」そして、よーく神経をとぎすませて、考えが浮かんでくるのを待ちます。ねずみ穴を見張っているネコになったつもりで、やってみましょう。穴から飛び出してくるのは、どんな考えでしょう？　さあ、いますぐ試してごらんなさい。

いかがでした？

問い　考えが浮かんでくるまで、結構時間がかかりましたよ。

答え　そのとおり！　意識を集中させて「いまに在る」かぎり、思考活動はストップします。心はじっと動かず、静止状態でありながら、とてもシャープです。集中力が低下してくると、さまざまな想念が、次々と浮かんできます。思考が「雑音づくり」を再開したのです。静止状態は失われました。あなたは「時間の世界」に戻ってきたのです。

禅宗では、どれだけ「いまに在る」状態に集中していられるかを試す、座禅の習わしが知られています。座禅中に「いまに在る」ことができなくなった僧侶は、和尚《おしょう》から棒でたたかれます。これはとてもショックを与えるものです。僧侶の精神がとぎすまされ、完全に「いまに在る」なら、イエスが譬《たとえ》で表現した、「ランプの火をたやさない」状態にあることになります。和尚からたたかれた僧侶は「思考にひたっていた」、言いかえるなら「いまに在らず」、「無意識状態」だったというわけです。

日常生活で、「いまに在る」ことを習慣にすると、「からだに根をおろす」のに役立ちます。しっかりと根をおろしていないと、荒波のような思考が、たちまちわたしたちをのみこんでしまうでしょう。

問い　「からだに根をおろす」ってどういうことですか？

答え　一〇〇パーセント、自分のからだに住まうことです。からだの内側のエネルギー場を、いつもある程度、意識していることです。からだを内側から感じとること、と表現したほうがわかりやすいかもしれません。からだを意識することは、すなわち「いまに在る」ことなのです。からだを意識していれば、「いま」にいかりをおろせるのです。（詳しくは第6章参照）

第2節　「待つこと」のほんとうの意味

「いまに在る」状態は、「待つこと」にたとえられます。イエスは譬の中で、「待つ」という行為を「いまに在る」ことのシンボルに使っています。この場合の「待つこと」は、一般的な意味合いの、退屈な状態や、そわそわして落ち着かない状態とは違います。それらは、わたしがすでにご説明した、「いまの否定」です。未来に焦点を当て、「いま」を、「わずらわしい障害物」とみなすような「待つこと」です。

この状態と対極に位置する「待つこと」があります。これは、完全な意識の集中を要します。いつ、なにが起こるとも知れないのですから、完全に目覚め、思考が静止していなければ、それを見すごしてしまうのです。これがまさに、イエスの表現するところの「待つこと」です。この状態では、意識は「いま」に注がれています。「空想」、「思い出す」、「予測する」といった思考活動をする余裕はありません。かと言って、緊張しているわけでもなく、恐れもありません。精神がとぎすまされた「いまに在る」状態なのです。全身が、細胞が、ひとつ残らず「いまに在る」のです。
この状態では過去と未来を背負った「わたし」(個性と言ってもいいです)は、ほとんど存在しません。しかし、その人本来の価値は、みじんも損なわれていないのです。本質は、そのまま生かされています。むしろ、より一層「ほんとうの自分」に近づいたと言ってもいいくらいです。実を言うと、わたしたちが「ほんとうの自分」でいられるのは、「いま」しかないのです。

イエスはこう言いました。「主人の帰りを待つしもべのようでありなさい」。しもべは、主人がなん時に帰ってくるか知りません。主人の到着を見逃さぬように、目覚め、注意をして、えりを正し、じっとしていなければならないのです。

さらにイエスは、ランプの炎を燃やしつづける〈「いま」に在りつづける〉のに、十分なオイル〈意識〉がなかったために、花婿《はなむこ》〈「いま」〉を見逃してしまい、饗宴《きようえん》〈さとり〉に行き損ねてしまった〈到達できなかった〉五人のうかつな〈無意識の〉女性を、別の譬《たとえ》で用いています。この五人とは対照的なのが、オイルを十分に携《たずさ》えていた〈「いま」に在りつづけた〉、五人の賢い女性でした。

福音書《ふくいんしよ》を執筆した人たちも、イエスの譬の真意を理解していなかったため、誤解釈がいりまじってしまいました。その後も誤解釈が重ねられ、イエスが本来言わんとするメッセージは、完全に失われてしまったのです。世界終末説ともっぱらに解釈されている箇所は、実際は「心理的時間」の終わりについての記述なのです。人類がエゴ的思考から、新たなステージへと移行し、意識を刷新して生きる可能性を示唆《しさ》しているのです。

第3節　「いまに在る」と、万物の美が見えてくる

問い　ひとりっきりで美しい自然に囲まれている時に、瞬間的にですが、「いまに在る」状態を経験したことがあります。

答え　禅の僧侶たちは、瞬間的な無心状態を「さとり」と呼んでいます。これを経験した時には、素直に喜んでいいのです。きっと読者の中にも、瞬間的なさとりを幾度か体験していながら、その意味と重要性に、まだ気づいていない方もいらっしゃるでしょう。自然の美しさ、神聖さに気づくためには、「いまに在る」ことが、必須《ひっす》条件なのです。

すっきりと空が澄《す》みわたった夜に、広大《こうだい》無辺《むへん》な宇宙を見上げ、その荘厳な静けさと果てしなさに畏敬《いけい》の念を抱いたことはありませんか？　山奥深くの渓流《けいりゅう》のせせらぎに、心の底から耳を傾けたことはありますか？　静かな夏の夕暮れ時に、つぐみのさえずりに聞き入ったことはありますか？　心がじっと静まっていなければ、自然の美に魅せられることはありません。これまで培《つちか》ってきた知識はもちろん、過去と未来にまつわる問題を、しばらくのあいだわきにのけておく必要があるのです。さもないと、なにかを見ていながら、ほんとうは見ておらず、なにかを聞いていながら、ほんとうは聞いていないのです。ほんとうに、ものを見、聞くためには、完全に「いまに在る」ことが不可欠なのです。

表面的な美の奥に、それを超越した、「なにか」が存在します。それは、内に秘められていて、筆舌に尽くしがたく、神聖で、本質的なものです。ほんとうの美に気づく時には、この内なる本質の輝きが、外殻を透過《とうか》して見えているのです。わたしたちが「いまに在る」時だけ、万物《ばんぶつ》は「ほんとうの姿」を明かすのです。

「いまに在る」ことで、無心状態を瞬間的に経験しても、ほとんどの人は、自分がその状態にいたことに気づかないものです。その理由は、あっという間に思考が活動を再開するからです。さとりは数秒間しか持たないかもしれません。それでも「さとり」の状態にあったことはたしかです。そうでなければ、美を認識していなかったはずです。思考は美を認識したり、創造したりできません。あなたが完全に「いまに在った」瞬間、美や神聖さはそこに存在しました。ところがその経験が短すぎることと、注意力の欠如という理由から、錯覚を起こしてしまうのです。つまり、思考ぬきで美を感じることと、対象に「名札《なふだ》」をつけて解釈するという思考活動の、ふたつの違いに気づかないのです。意識の変化が瞬間的なため、すべてが単一のプロセスであるかのように感じられてしまうのです。思考が活動を再開すると、あなたの中に残るのは、その時の記憶だけです。

「さとり」の時間が長ければ長いほど、人間としての「奥行き」も増します。いっそう「意識的な人間」になる、とも言えます。

思考でがんじがらめになっている人にとっては、自然の美など存在しないに等しいのです。そんな人たちも、「まあ、なんてきれいな花なんでしょう！」と言うことがあるかもしれません。でもそれは、思考でレッテル貼りをしているだけなのです。思考がやむことなく、「いまに在《い》ない」人には、花のほんとうの姿はおろか、花の本質も神聖さも見えていません。ちょうど「ほんとうの自分」を知らないために、自分の本質も、神聖さも、理解していないのと同じです。

現代芸術、建築、音楽、文学には、一部の例外をのぞいて、ほんとうの美や本質は描かれていません。これは、大多数の人が思考優勢の生き方をしていることが原因です。これらを創作している人たちも、一瞬でさえ、思考から解放されていません。したがって、真の創造性と美があふれ出る源泉に、つながっていないのです。野放し状態の思考は、奇怪なものをつくりだします。しかも、それを目にするのは美術館に限ったことではありません。都市景観や汚染にまみれた荒廃地などを見ても、それが野放し状態の思考の「落とし子」であることは一目瞭然《いちもくりょうぜん》です。ここまで醜さを生みだした文明は、ほかに類を見ません。

第4節　「まったき意識」になろう

問い　お話を聞いていると、「大いなる存在」、つまりすべてを超越した究極のものは未完成で、いまだ創造のプロセスにあるという印象を受けますが、神は成長のために時間を必要としているのでしょうか？

答え　「目に見える世界」という見地からすると、そういうことになります。神は、次のように宣言したと聖書にあります。「わたしは、『アルファ』であり『オメガ』である。しかもわたしは生きている」。神の住む時間のない次元（わたしたちの生まれ故郷です）は、はじまり（＝アルファ）であると同時に、終わり（＝オメガ）なのです。しかも、この「アルファ」と「オメガ」はひとつなのです。この世に存在してきたあらゆるものと、これから存在するあらゆるものは「いまだ現われぬもの」という状態で、「いま、この瞬間」に渾然一体《こんぜんいったい》となって存在するのです。これは、人間の想像と認識をはるかに超えています。

一見したところ、すべてが別個のかたちを持つ世界に住むわたしたちにとって、「時間が存在しない」「完全無欠」は、理解しがたい概念です。この世界では、「大いなる存在」から発せられる「光」にほかならない意識でさえも、発展の途上にあるかのように思えますが、これは人間の限られた認識力によるものであり、正確に言うと事実ではありません。

このことをみなさんにご理解いただけるように、意識の進化について、もう少し掘り下げて話をしていきましょう。

この世に存在するすべてものには、ひとつの例外もなく、「大いなる存在」が息づいています。これは、「神意識」と言いかえることもできます。「神意識」のレベルは、ものによってことなりますが、石にでさえ、原始的なレベルの「神意識」が備わっています。そうでなければ、この世に存在していません。「神意識」が備わっていなければ、石の分子も原子もバラバラに飛び散り、石のかたちをとどめることはできません。すべてのものは「生きている」のです。太陽、月、地球、植物、動物、人間――ありとあらゆるものは、異なるかたちの「神意識」の表現なのです。

「神意識」が物質的形態をとった瞬間、この世界が誕生しました。この地球ひとつをとってみても、地上、海中、空中に数百万を超える生命形態が存在します。さらに、個々の種は、数百万回と生殖をくりかえしているのです。果たして終わりはあるのでしょうか？

「『誰か』や『何か』が、かたちを使った『ゲーム』をしているのではあるまいか？」古代インドの予言者たちは、自らにこう問うたのです。彼らはこの世界を、「神がプレイする神聖なゲーム」と考え、「リーラー」［lila］と名づけました。

この世界を「ゲーム」と見なせば、生命体のひとつひとつが、それほど重要でないということは明らかです。海中に誕生する多くの微生物の寿命は、わずか数分です。人間という生命体も、まったくまに「ちり」となります。まるで最初から存在していなかったかのように、あっけないものです。これは悲劇でしょうか？　残酷でしょうか？　個々の生命はみな、「神意識が、かたちをまとって表現されたものである」という事実を知ったうえで、それらにアイデンティティを見いだしたりしなければ、そのようには感じないはずです。わたしたちは、自分の中に息づく「神意識」を、純粋な意識として認識できるまでは、生命のほんとうの意味を知ることができません。

あなたの水槽《すいそう》で、一匹の魚が生まれたと仮定しましょう。あなたはこの魚に「ジョン」と名前をつけ、出生証明書を作って、彼の家族について話して聞かせました。ところがその二分後、ジョンは、別の魚に食べられてしまいました。これはたしかに悲劇です。ただし、あなたが独立したアイデンティティを魚に見いだして、はじめてそれは悲劇になります。実際には独立したアイデンティティというものは、存在しません。あなたは「躍動するプロセス」、もしくは「分子の振動」の断片をとりだし、それを独立したアイデンティティにしたててあげているのです。

意識は、なにかの形態になりきっているものです。その「変装《へんそう》」の複雑ぶりが、極限状態に達すると、意識は「ほんとうの自分」を、完全に見失ってしまいます。今日では、ほとんどの人間の意識は、「にせのアイデンティティ」をまとっています。意識は「にせの姿」としてしか、自分を知らないので、「にせの自分」の消失という恐怖の中に生きています。これが、エゴ的思考であり、数々の機能不全が始動する、出発点なのです。

まるで人類の進化の過程で、なにか手違いでもあったかのように、思えてしまいませんか？　しかし、これも神のゲーム、「リーラー」の一部なのです。「窮《きゅう》すれば通ず」と言いますが、機能不全から生じる「苦痛」に耐えられなくなったわたしたちは、否応《いやおう》なしに、「にせの仮面」をはぎとらなければならない状況に、追いつめられているのです。「にせの仮面」を捨ててしまえば、意識は「ほんとうの自分」をとりもどします。しかもそれをとりもどした時には、失う前よりも、ずっと深遠なレベルで、「ほんとうの自分」を認識できるのです。

「ほんとうの自分」をとりもどす過程を、イエスは放蕩《ほうとう》息子の譬《たとえ》を使って説明しています。父の家を飛び出し、消息の知れない息子がいました。息子は全財産を使い果たし、極貧にあえぎ、家に帰らざるを得なくなりました。彼が家に戻ると、父は息子を、「息子が家を出る前以上に」愛しました。息子のありさまは、家を出る前と変わりませんでしたが、中身は雲泥《うんでい》の差です。意識に深みが加わっていたからです。この譬は一見すると「不幸」や「悪」とみなされるものを経て「無意識状態」から「在る意識」へと到達するプロセスを描いているのです。

「いまに在る」ことの重要性が、さらにクリアーに見えてきましたか？　思考を見張ると、意識は思考活動を止め、「観察する人」となります。「思考を観察すること」は、個人レベルにとどまらず、宇宙規模においても、重要なことなのです。わたしたちひとりひとりを通して、意識は「にせのアイデンティティ」という夢から目覚め、「カラ」を脱ぎ捨てられるのです。

かたちや思考から解放されると、意識は「まったき意識」となります。それは、「覚醒した意識」であり、「いまに在る」意識とも言えます。このレベルに達した人は相当数にのぼりますが、もうすぐさらに大きなスケールで、意識の進化が起こるだろうと、わたしは見ています。ただし、まだほとんどの人はエゴ的意識で生きているのが現状です。エゴ的思考とひとつになり、エゴにコントロールされている状態なのです。しかし、わたしが本書を通じてみなさんにお話ししているということ、みなさんが本書を読んでいるというこの事実こそが、地球で新たな意識の夜明けを迎える準備が整ったというシグナルではないか、とわたしは感じているのです。

この本に記してあることは、わたしの個人的な使命ではありません。わたしはみなさんに、教義かなにかを説こうとしているわけでもありません。東洋のことわざに、「教育とは、教師と生徒の共同作業である」というものがありますが、この本を読むことを可能にしたのは、あなた自身の意識であり、あなたが、自分自身に耳を傾けているのです。言葉そのものは、あまり意味がありません。言葉自体は、真実ではないからです。真実をさし示している、しるべにすぎません。

沈黙は、「在ること」を伝えるメッセンジャーとして、さらに高い可能性を秘めています。ですから、本書を読む際には、言葉と言葉のあいだ、また、その根底にある「沈黙」と「空間」を意識しましょう。どこにいる時でも、「沈黙」を聞くことが、てっとり早く「いまに在る」ようになれるための方法です。たとえ雑音があっても、音と音のすきまに、必ず「沈黙」が存在するはずです。「沈黙」を聞くと、思考活動もぴたりとやみます。内面が静止していなければ、外界の沈黙を感じることはできません。さらに、沈黙はわたしたちの中に「大いなる存在」が脈々と息づくことをも、実感させてくれるものです。

第5節 「キリスト」(＝神意識)は、人間が神性であることの証拠

まず、特定の言葉にとらわれたり、つまずいたりしないようにしましょう。

もし自分にとって、意義深いことなら、「在ること」を「キリスト」［固有名詞化しているが、本来は救世主という意味の称号］、という言葉におきかえて使ってもいいのです。キリストはわたしたちの「神意識」、もしくは東洋で呼ばれているように、自己［Self］なのです。キリストと「在ること」の唯一の違いは、キリストが、自覚している、していないは別として、わたしたちに最初から組みこまれている神性を指す一方、「在ること」は自身の神性に目覚めた意識を指します。

キリストにまつわる数々の誤解は、「キリストには、過去も未来もない」と気づいた時点で、払拭《ふっしょく》できます。「キリストは存在した」「キリストは現われるだろう」という表現は、矛盾なのです。ただし、イエスはこのかぎりではありません。彼は二千年前に生きていた、自分の本質が神性だと気づいた、ひとりの男です。

イエスは次のように言いました。「アブラハムが生まれるまえに、わたしはいる」。なぜイエスは、「アブラハムが生まれるまえに、わたしはいた」と、言わなかったのでしょう？　もし後者のように言ったとすると、イエスもまた、「時間の世界」に生きていたことになるからです。過去時制ではじまる文に、「わたしは、いる」［I am］を使うということは、ダイナミックな発想の転換を意味しています。しかも「時間の連続性」を否定しているのです。この表現は、禅の格言のように深遠です。イエスは「在ること」とはなにかを、まわり道せず、ずばり直接的に、伝えようと試みたのです。

イエスは、時間のない世界に生きていました。この世界は「永遠」です。「永遠」とは「終わりのないこと」を意味しているのではありません。「時間が存在しないこと」を意味しているのです。人間であるイエスは、「キリスト」すなわち「純粋な意識」の伝道者になりました。

神がご自身をどのように定義したと、聖書にあるか、ご存知ですか？　神は「わたしは、いままで存在してきた。そして、これからも存在しつづける」と言われたでしょうか？　もちろん違いますね。そんな宣言をしたら、過去と未来を現実にしてしまいます。実は神はこう言われたのです。「わたしは存在するすべてである」。この表現には時間がありません。「在ること」だけです。

キリストの「再臨」とは、人類の「意識の変容」のことです。「時間」から「在ること」へのシフト、「思考」から「純粋な意識」へのシフトのことです。誤解していらっしゃる方もたくさんいると思いますが、これは、文字どおり誰かの到来のことを意味しているのではありません。万一キリストなる人物が、明日にでもなんらかの姿で現われたとしたら、彼（彼女）が、わたしたちに伝えるメッセージは、これ以外にあり得るでしょうか。「わたしが真実です。わたしは神性です。わたしは永遠の生命です。わたしはあなたとともにいます。わたしはここです。わたしはいまです」

キリストを擬人化《ぎじんか》してはなりません。キリストに「アイデンティティ」を与えることになるからです。さとりをひらいた人は、特別な人間ではありません。防衛し、助長しなければならない「にせの自分」を持っていない分、ごく普通の人間以上にシンプルな人たちです。エゴが増長した人は、さとりをひらいた人を、ちっぽけな人間とみなしているか、全然理解できないかのどちらかです。

さとりをひらいた人に共感を抱けるのは、ほかの人が「在る」とわかるくらい、自分自身が十分に

「在る」という証拠です。イエスやブッダのことを認めない人は、たくさんいました。この人たちは、えせ教師に引きつけられたのです。エゴは、さらに肥大化したエゴに引きつけられるのが、自然の法則です。暗闇は、光を認識することができません。光だけが、光を認識できるのです。ですから光は自分の外側にあるとか、ある特定の形態にかぎられている、と信じないでください。さとりをひらいた人だけが、「神の化身《けしん》」だとすると、では、「あなたはいったい誰なのか？」という話になります。どんな場合でも、「特別扱い」は、「にせのアイデンティティ」ですから、いくら巧《たく》みにとりつくろっても、それは「エゴ」なのです。

もし、身近にさとりをひらいた人がいるなら、その人の「在り方」を、自分自身を映すための鏡にしましょう。そうすれば、自分自身もさらに「いまに在る」ことができるようになります。すると、ほどなくして「在ること」には「わたしの」とか「あなたの」といった区別はなく、普遍的なものであることに気づくはずです。

さとりをひらきたい人たちが集まって、みんなで一緒に「在り方」の強化にとりくむことも、効果が期待できます。「在る」状態の人たちが集まると、集合エネルギーの場が、強力にパワーアップされるからです。個々のメンバーの「在る」レベルを引きあげるだけでなく、人間の集合意識を思考優勢から解放する手助けもします。

ただし、メンバーの最低ひとりは、「在る」状態を確立し、その波動を維持できていなければなりません。そうしないと、エゴ的思考が、いとも簡単に台頭しだし、みんなの努力を水の泡にしてしまうのです。グループでのこうしたワークは貴重ですが、それだけでは十分ではなく、また、それのみに依存するようになってもいけません。「在ること」の意味と、実践の仕方を学んでいる期間を除いては、誰かに頼るべきでもありません。

第6章

うちなるからだ「インナーボディ」

第1節　「大いなる存在」が「ほんとうの自分」なのだ！

問い　「からだに根をおろす」こと、「からだに住まう」ことの大切さについて話されましたが、その理由を説明していただけませんか？

答え　からだは「大いなる存在」につながれる入口なのです。さあ、からだのさらに奥へと、はいりましょう。

問い　「大いなる存在」が、いったいなんなのか、まだよくわからないんですが……。

答え　「ええっ、水？　それっていったいなーに？　よくわかりません！」魚が人間の頭脳を持っていたら、きっとこんなセリフになったでしょう。一度でも、「大いなる存在」をかいま見るという体験をしたことがあるなら、「大いなる存在」を理解しようとするのは、やめましょう。思考はなんでもかんでも、小さな箱に押しこんで、それにラベルを貼りたがりますが、「大いなる存在」に同じことをしようとするのは、むなしい努力です。「大いなる存在」は人間の知的活動の範疇《はんちゅう》に収まるものではありません。「大いなる存在」は、主体と客体がひとつに溶け合ったものだからです。

「大いなる存在」は、「名前やかたちを超えた『わたし』は、永久に存在する」、という感覚で、認識できます。「大いなる存在」を認識し、その状態にしっかりととどまることが、「さとりをひらくこと」なのです。イエスの言った、「あなたを完全に自由にする真実」とは、このことです。

問い　「なに」から完全に自由になれるのですか？

答え　「わたしは、肉体と頭脳だけの存在です」、という幻想から自由になれます。ブッダは、この幻想を「幻の自己」と表現しましたが、これがそもそも間違いのはじまりなのです。「幻の自己」を抱くと、数え切れないほどの「仮面」をつけなければならなくなります。すると、「にせのわたし」を演じるハメになり、それを失うのではないか、という「恐れ」を抱くようになります。こういった、にせのアイデンティティにともなう苦痛から解放されます。さらに、「にせのわたし」に基づいて考え、発言し、行動しているかぎり、無意識のうちに、人にも、自分にも痛みを与えてしまいますが、その「罪」からも解放されるのです。

第2節　言葉の奥にある真実をつかむ

問い　「罪」という言い方、どうにかなりませんか？　まるで自分が裁《さば》かれて、「有罪」の判決をくだされたみたいですよ。

答え　あなたのお気持ちは、よくわかります。ずいぶん昔から、相手の行動を操《あやつ》ろうという魂胆《こんたん》でこの言葉が使われてきたことや、この言葉の意味をきちんと理解していないことがもとで、わたしたちは「罪」という言葉を誤解するようになってしまいました。しかし、「罪」に類した言葉が真実をついていることも、また事実なのです。一般的な解釈の奥を見通す洞察力がないなら、言葉がさし示している真実を認識できないなら、これらの言葉を、無理に使う必要はありません。言葉にしばられないでください。言葉はあくまでも、目的に到達するまでの手段なのです。言葉は抽象概念です。道しるべとなんら変わりなく、言葉はそれ自身を超えたものを指しているのです。「はちみつ」という言葉は、「はちみつ」そのものではありません。はちみつについて研究したり、論じたりすることはできても、肝心《かんじん》のはちみつを味わうことをしていなければ、それを、ほんとうに知ったことにはなりません。はちみつをいったん味わってしまえば、言葉には、こだわらなくなります。これとまったく同じ理屈で、神について生涯にわたり、思惟《しい》をめぐらしたり、語り合ったりしても、それで神を知っていることにはならないのです。そんなことをしても、神の実体を、一瞬でも、かいま見たことにはなりません。「道しるべ」や「偶像」へのこだわりで終わってしまいます。

その逆のケースについても、同じことが言えます。なにか理由があって、「はちみつ」という言葉を毛嫌いしても、それを味わうことを妨げてしまう可能性があります。もしも「神」という言葉に対して、強い嫌悪感を持っているなら（これはネガティブな執着心です）、言葉だけでなく、言葉が示している実体をも拒絶しているのです。その実体を経験する可能性を、自ら拒んでいるのです。こういった一連の行動は、もう説明するまでもありませんが、思考を「ほんとうの自分」とみなすことに起因しています。

では、結論を言いましょう。ある言葉が自分にとって都合が悪いなら、その言葉をさっさと捨てて、自分にとって都合のいい言葉におきかえればいいんです。「罪」という言葉が気にさわるなら、「無意識状態」と呼んでみてはいかがですか？　長い間誤用されてきた「罪」よりも、「無意識状態」のほうが、罪悪感を抱かずに、言葉の奥にある真実をつかめるかもしれません。

第3節　目には見えず、滅ぼすこともできない「本質」を見いだす

問い　物質的なかたちを、「ほんとうの自分」だと思いこむことも、幻想だとおっしゃいましたが、では、どうして物質的なからだによって、「大いなる存在」を認識することができるんでしょう？

答え　わたしたちは、見たり触ったりできるからだによって、「大いなる存在」を認識するわけではありません。目に見えるからだは「衣」、「虚像」であり、その奥にあるものが実体なんです。「大いなる存在」とつながっていれば、この実体は、躍動する「うちなる生命」、「インナーボディ」として感じられます。つまり、「からだに住まう」ことは、からだのうちにある生命を感じることであり、そうすることで、「わたしは見かけの姿を超越した存在なのだ」、という認識に到達することなのです。

しかしながら、この気づきでさえ、「静けさ」、「平和」、「パワー」、「生命力」があふれる、うちなる世界への旅の、ほんのプレリュードにすぎません。最初のうちは「大いなる存在」を、ちらりと見る程度かもしれませんが、その小さな経験を積み重ねていけば、真実に気づきはじめます。その真実とは、「わたしたちは、究極的には苦痛にとって代わられる、つかの間の快楽だけが与えられた、見知らぬ宇宙に置き去りにされた、意味もないかけらではない」ということです。わたしたちは、「衣」の奥では、あまりに果てしなく、あまりに神聖であるために、定義したり、話したりすることも不可能な「なに

か」（わたしは、あえてそれを試みているわけですが）とつながっているのです。わたしが、その「なにか」について話しているのは、みなさんに心のよりどころを与えるためではなく、みなさんが、どうすれば、自分自身でその「なにか」を見つけられるかを、お教えするためです。

心が思考に占領されているかぎり、わたしたちは「大いなる存在」と断絶しています。大半の人が、持続的にこの状態にあるわけですが、この人たちは、意識をすべて思考活動につぎこんで、自分のからだを「留守」にしているのです。思考は暴走し、歯止めがきかなくなります。「自分の思考を止められない」という症状は、大規模で蔓延《まんえん》している「病」であると言っても、言いすぎではないでしょう。これに「発病」すると、思考活動をよりどころにして、自分のアイデンティティをつくってしまいます。「大いなる存在」に根ざしていないアイデンティティはもろく、こわれやすいために、いつもなにかを求めるようになり、心の底に「恐れ」をこしらえます。そうなると、人生から一番大切なものが、欠落してしまいます。それは自分の内奥《ないおう》にある「大いなる存在」——目には見えず、決して滅《ほろ》ぼすことのできない実体——への認識です。

「大いなる存在」を認識できるようになるには、思考から意識を解放しなければなりません。これが、わたしたちの「魂の旅」の中で、もっとも大切な仕事のひとつです。無益で強迫的な思考活動に消費されている、ばく大な量の意識を解放するのです。意識を解放するのに効果的な方法は、思考活動を止め、インナーボディに意識を向けることです。インナーボディは、肉体に生命を与える、見えざるエネルギー場であり、「大いなる存在」が感じられる場所なのです。

第4節　インナーボディとつながるエクササイズ

では、早速《さっそく》試してみましょう。慣れないうちは、目を閉じたほうが、エクササイズがしやすいかもしれません。「からだに住まう」コツがつかめたら、もう目を閉じる必要はありません。意識をインナーボディに向けてください。からだを内側から感じるのです。からだは生きていますか？　手には生命がありますか？　腕はどうですか？　脚《あし》はどうですか？　足先はどうですか？　おなかはどうですか？　胸はどうですか？　からだ全体をくまなくおおい、すべての臓器、すべての細胞に生命力を与えている、かすかなエネルギー場を感じることができますか？　これをひとつのエネルギー場として、からだ全体で同時に感じることができますか？

しばらくのあいだ、インナーボディを感じることに、意識を集中しつづけましょう。インナーボディについて考えるのではありません。ただ感じるだけです。意識を集中させればさせるほど、感覚はより鮮明になってきます。まるで全細胞の生命力が、あふれ出してくるかのように、感じられます。視覚化が得意な人なら、からだが光を発しているイメージが見えるかもしれません。このようなイメージは、役立つかもしれませんが、浮かんでくるイメージよりも、感覚に集中するようにしましょう。イメージがどんなに美しく、力強くても、形態である以上、さらに深くはいる可能性を狭めてしまうからです。

インナーボディの感覚は千差万別で、その程度を測ることは不可能です。しかも限界がありません。いつも、さらに奥へとはいることができます。いまの段階で、あまり手応《てごた》えがなくても、とりあえず、いま自分が感じられるものに、意識を集中させましょう。もしかすると手や足に、かすかにくすぐったいような感覚があるだけかもしれませんが、いまはそれで十分です。とにかく感覚に意識を集中させるのです。からだは、いきいきと生命力に満ちてきます。後ほど、さらにエクササイズをしましょう。では、ここで目を開けてください。部屋を見渡すときにも、意識をいくらかインナーボディに注いだままにしておいてください。インナーボディは物質界と「大いなる存在」の境目に存在します。かたときも、インナーボディの感覚を失ってはなりません。

第5節　さとりは、からだを通してひらくもの

問い　どうして、ほとんどの宗教が、肉体を悪《あ》しきものとみなしたり、拒否したりするのでしょうか？「魂の道」を求める人は、みな肉体を邪魔もの扱いし、ときには罪の根源とさえする向きがあるようですが。

答え　なぜ「求める人」は山ほどいるのに、「発見する人」は、ごくわずかしかいないんでしょう？

からだのレベルでは、人間はとても動物に近い生き物です。わたしたちは「喜び」、「痛み」、「呼吸」、「飲食」、「排泄《はいせつ》」、「睡眠」、「パートナーを求め、生殖しようという本能」、「生死」などのからだの諸機能を、すべて動物と分かち合っています。ずいぶん前に、人類は思考とひとつになり、「ほんとうの自分」を見失ってしまいました。そのため、自分が動物的に感じられたのです。人間はとてもこれに動揺しました。「人間は、動物の仲間なんだ」。これが、まぎれもない真実のように思われました。しかし、受けいれるには耐えがたいものでした。

そこで、からだの特定の部位や機能、こと性的なものについて、恥やタブーの概念がつきまとうようになったのです。自分たちの動物的な性質の根底にある、「神性」という真実を見つけることはおろか、動物的な性質をあるがままに受けいれ、楽しめるほど、人間は強くなかったのです。それで人間は「からだと無関係でいること」を決めこんだのです。つまり、「わたしはからだである」のではなく「わたしはからだを所有している」と、考えることにしました。

宗教が普及するようになると、「わたしは、わたしのからだではない」という信心もあいまって、からだと断絶する傾向に、ますます拍車がかかりました。洋の東西を問わず、数え切れないほどの人たちが、肉体を否定することで、「神」「さとり」を見いだそうと、心血を注いできました。これは、断食《だんじき》などの苦行《くぎょう》や、感覚的な喜び、特に性的なものを断つ方法でした。彼らは、からだを罪深いものとみなしていたので、からだを衰弱させよう、罰しようと、自ら、からだを痛めつけさえもしたのです。また、トランス状態になる、体外離脱をするなどして、からだから脱け出そうと試みる人たちもいました。現在も、それをおこなっている人は大勢います。あのブッダでさえ、六年間にわたる断食や極端な行をとおして、肉体の否定を実践したと言われています。しかし、実際のところ、彼がさとりをひらいたのは、このような苦行をやめたあとです。

肉体を拒むことや、体外離脱をとおして、さとりをひらいた人などひとりもいません。体外離脱は、物質的形態から解放される、という点で、たしかに興味をそそられるものですが、さとりをひらくためのワークをする拠点はからだですから、結局はそこに戻ってこなければならないからです。さとりは、からだをとおしてひらくものであり、からだからはなれた場所でひらくものではありません。ですから、ほんとうにさとりをひらいた人は、決してからだに抵抗したり、からだからはなれることを提唱したりしません。肉体の否定は、思考にとらわれた人たちが支持しているものです。

からだについての古代の教えは、断片的なものしか残っていません。たとえば、「あなたのからだ全体が光で満たされるでしょう」というイエスの言葉がそうです。さらに、イエスは決して自分のからだを放棄せず、「天国」へもからだとともに昇天したという、神話として伝承されているものもあります。今日にいたるまで、ほとんど誰もこのような教えや、神話の裏に隠された真意を汲《く》みとっておらず、肉体の否定と、からだからの脱出へとわたしたちをあおる「あなたはあなたのからだではありません」という信心があまねく普及しました。無数の「求める人」がこのようにして「魂の目的」の達成を断たれ、「発見する人」になる道を、閉ざされてしまったのです。

問い　からだの重要性について説《と》いた過去にほうむりさられた教えを復元させることは可能なんです

か？　それとも現存する断片をかき集めて新たに編集するほうがいいんでしょうか？

答え　その必要はありません。魂の教えはすべて同じ源《みなもと》に由来しています。そういった意味では、唯一のものが、さまざまにかたちを変えて表現されているだけである、ということになります。つまり、自分のうちにある「大いなる存在」につながることさえできれば、わたしがマスターであり、あなたもマスターなのです。そして「大いなる存在」につながるのは、インナーボディをとおしてなのです。すべての魂の教えが、同じ源を起点にしていることは事実ですが、個々の教えが言語化され、書き記されたとたんに、それらはたんなる言葉のよせ集めになってしまうのです。くりかえしになりますが、言葉自体は、道しるべにすぎません。すべての教えは、「大いなる存在」へとわたしたちを導くための道しるべなのです。

以上が、わたしたちのからだについての真実です。では、ここでまとめとして、歴史の中で失われてしまった教えを、お話ししていきたいと思います。以下を読みながらインナーボディを感じるよう、トライしてみましょう。

第6節　からだについての教え

わたしたちが肉体と呼んでいる、「物質（のように見えるもの）」は、疾病《しっぺい》、加齢、死に左右されています。この「物質」は、究極的には「本物」ではなく、「ほんとうの自分」でもありません。これは、「人間は生死を超越した実体である」ということをのみこめない、思考の限られた認識力によるものです。「大いなる存在」とつながっていない思考は、「すべては別々」という幻想を正当化するために、からだを利用しているのです。

からだに背を向けてはなりません。なぜなら、「はかなさ」、「限界」、「死」という、からだの表面的な特徴（思考の産物であり、幻想にすぎませんが）の奥には、「不滅」という、輝かしい真実がかくされているからです。真実を求めようと、自分の外側を探してはなりません。真実は、わたしたちのからだの内側以外には、どこにもないからです。からだを拒絶しないでください。それは自身の真実を拒絶することになるからです。あなたは、あなたのからだそのものなんです。ただ、わたしたちが見て、触ることができる肉体は、虚像であり、薄っぺらなヴェールでしかありません。そのヴェールの奥には、「大いなる存在」への入口である、インナーボディが存在します。インナーボディをとおして、わたしたちは「目には見えない唯一の生命」、「生まれることも滅びることもない永遠の生命」とつながっています。そこから切りはなされてしまうことは、絶対にありません。インナーボディをつうじて、わたしたちは永久に神とひとつなのです。

第7節　インナーボディに根をおろそう

インナーボディとつながっているためのコツは、インナーボディを常に感じていることです。こうすると、人生が速《すみ》やかに変化してきます。意識をインナーボディに向ければ向けるほど、波動が高まってきます。ちょうど照明のスイッチをひねっていくと、光が明るさを増してくるのと同じです。この高いエネルギーレベルに達した人は、もはやネガティブ性から影響を受けることはありません。高い波動を反映した状況を引きよせるようになります。

ほとんどのあいだ、意識をインナーボディにおいていると、「いま」にいかりをおろせます。こうすれば、もう出来事の中で、自分自身を見失ったり、思考の中に自分自身を埋没《まいぼつ》させたりすることはありません。思考や感情、恐れや願望を、まだいくらか抱いているかもしれませんが、それらに支配されたりはしません。

では、ここで「いま、この瞬間」自分の意識が、どこに向けられているか、チェックしてみましょう。あなたは本書を読んでいますね。意識は、本書を読むことに注がれています。でも、それと同時に、周囲の環境にも、なんとはなしに気づいているでしょう。さらに、読んでいる内容について、同時に頭の中でああでもない、こうでもないと「実況解説」をしていませんか？　それでもなお、意識が全部それらに占領されてしまっているわけではなく、いくらか「あまり」があるでしょう。その「あまり」で、インナーボディに意識を向けられるか、ちょっと試してみましょう。意識を全部使ってしまわずに、いくらか、インナーボディに残しておくのです。からだ全体を、ひとつのエネルギー場として、内側から感じるのです。これは、からだ全体で、ものを聞いたり、読んだりしているような感覚です。このエクササイズを、これから一週間、二週間と継続的に実践していきましょう。

意識をすべて、思考と外界に消費しないことです。自分がおこなっていることには、集中すべきですが、それと同時に、できるかぎり自分のインナーボディを感じるのです。インナーボディにしっかりと根をおろしましょう。このように心がけることで、意識がどんな風に変化していくか、活動のクオリティに、どんな変化が見られるか、観察してみてください。

たとえどこにいても、待っている時には、インナーボディを感じる時間に充《あ》てましょう。そうすれば、車の渋滞や、順番待ちも、楽しいひと時に変わります。頭の中で、「過去」や「未来」を映し出すかわりに、インナーボディに根をおろして、さらに、「いま」に深くはいりこみましょう。

インナーボディへ意識を向けていると、生き方がガラリと一新します。「大いなる存在」につながっている時間も増え、人生に奥行きが加わります。

インナーボディに根をおろしていると、「いまに在《あ》る」ことが容易になります。外界でどんな出来事が起ころうと、わたしたちはびくともしないのです。「からだに住まう」ことは、「いまに在る」ためには、欠かせません。

試練に見舞われたら、できるだけからだのうちなるエネルギー場を意識して、インナーボディに根をおろしましょう。これは、ほんの数分もあれば、簡単にできることです。コツは、試練が立ちはだかった時点で、間髪《かんはつ》を容《い》れずに実行することです。タイミングが遅れると、感情のおもむくままに条件反射的なリアクションをしてしまうからです。インナーボディに意識を集中させれば、思考は自動的にストップするので、心は静まり、「いまに在る」状態に戻れます。「いまに在る」状態にいれば、対応が必要な時には、「大いなる存在」から、指示が発せられます。ちょうど太陽が、ろうそくの炎とは比較にならないくらい明るいのと同じように、「大いなる存在」は、わたしたちの頭脳が、はるかに及ばないほど、叡智《えいち》の宝庫なのです。

インナーボディに根をおろしている人は、大地にどっしりと根をはった大樹《たいじゅ》、または堅固《けんご》な礎石《そせき》の上に建てられた家のようなものです。後者は、一般に誤って解釈されているイエスの譬、「家を建てたふたりの男」でも登場しました。ひとりの男は、土台ぬきで砂の上に家を建てたために、嵐と洪水にさらわれてしまいました。もうひとりの男は、岩にぶつかるまで地下深く掘って、土台を固め、その上に家を建てました。彼の家は洪水にびくともしませんでした。

第8節 「許すこと」ってなんだろう?

問い インナーボディに意識を集中させようとしたら、とても不快な気分になりました。感情がむしょうに高ぶり、胸がむかむかしてきたのです。どうしてなんでしょうか?

答え あなたが感じたのは、意識をからだに向けるまで自分自身も気づかなかった、「感情のかす」です。それをしっかり観察することで処理しないかぎり、インナーボディにつながることはできません。インナーボディは、感情のさらに奥にあるからです。ただし、感情を処理するというのは、感情について考えることではありません。感情をありのままに受けいれられるように、ひたすら観察し、感じることです。ある種の感情は、比較的たやすく認識できます。怒り、恐れ、悲しみなどが、その代表です。ところが、中にはそう簡単に「しっぽ」をつかまえられないものもあります。たとえば、なんとなく落ち着かない、気が重い、胸がしめつけられるなど、感情と身体的感覚の、ちょうど中間に位置する、漠然とした感じがこれにあたります。いずれにしろ、大切なのは、その感情を分類できるかどうかではなく、その感情を、どれだけ意識の表層部にのぼらせることができるか、ということです。「意識を向けること」が感情を変えるカギです。意識をすべて向けることは、ありのままに受けいれることを意味するからです。意識を向けるのは、ビーム光線を照射するようなものです。凝縮された意識のパワーは、あらゆるものを純粋な意識へと変容させるのです。

健康に機能している生物の場合、感情の「寿命」はほんのいっときです。「大いなる存在」を湖になぞらえるなら、感情は、その水面をなでる、さざ波のようなものです。ところが、からだを「留守」にしている人の中では、感情はなん日もなん週間も生きつづけます。もしくはそれが、すでにからだに存在している、似たような過去の感情とひとつになって、ペインボディになってしまいます。ペインボディは、マイナスのエネルギーを糧《かて》にして生きる、「寄生虫」のようなものであり、実際にわたしたちを病気にし、人生をみじめなものにしてしまいます。

感情に意識を集中させましょう。思考が、悲嘆、自己憐憫《れんびん》、憤慨《ふんがい》などの感情を強める「愚痴《ぐち》こぼし」パターンを描いていないか、チェックしてみましょう。もし、これに当てはまるようなら、それはあなたが「なにか／誰か　を許していないこと」を意味します。許せない気持ちは、たいてい他者や自分自身に向けられたものですが、過去、現在、未来の状況や出来事の場合もあります。そうです、許せない気持ちは、未来にさえ及んだりもします。未来が不確かで、コントロール不能であることに対する、思考の拒絶反応なのです。

「許し」とは、一切の「不満」、「心痛」を手放すことです。不平不満が無益で、「にせの自分」を助長するだけだと気づいた瞬間、変化は自動的に起こります。許すことは、「人生に抵抗しないこと」、「人生をあるがままに受けいれ、全身で受けとめて生きること」です。この選択をしない人に残された道は、「苦痛」、「生命エネルギーの滞り」、さらに、多くのケースでは「病気」です。心の底から許した瞬間、思考からパワーを奪回したことになります。「許せない気持ち」は、思考のさがとも言える性質です。思考は「許すこと」ができません。許すことができるのは、「ほんとうの自分」だけです。

「許し」をおこなった時点で、「からだに住まう」ことができます。そうすれば、自然と「いまに在る」こともでき、「大いなる存在」の、平和や、静けさを感じるようになります。これが、「神の宮にはいる前に許しなさい」と、イエスが言われた所以《ゆえん》です。

第9節　人間と「目に見えない世界」とのつながり

問い　「いまに在ること」は、「インナーボディ」と、どう関係しているのでしょうか？

答え　「いまに在ること」は「まったき意識」になることです。思考から解放された意識になることです。インナーボディは、わたしたちと「目に見えない世界」をつなぐ接点です。「目に見えない世界」は、インナーボディのさらに奥にあります。「目に見えない世界」と意識の関係は、太陽と光の関係におきかえることができます。太陽が光を放っているように、意識は「目に見えない世界」という太陽から発せられている光のようなものとみなしていいでしょう。

問い　「目に見えない世界」って、「大いなる存在」と同じものですか？

答え　そのとおりです。「目に見えない世界」は、否定形を使って、話すことも、考えることも、想像することもできない事物を表現したものです。「なにでないのか」と言うことで、「なにであるのか」を表現しているのです。「大いなる存在」は、ストレートな表現です。ただ、いずれの言葉にも、固執したり、偶像扱いしたりしないでください。これらは所詮《しょせん》「道しるべ」なんですから。

問い　正直なところ、あなたのおっしゃっていることは、わたしの理解力を、はるかに超えています……。でも、感覚的なところでは、わかる気がするんです。これは、ただの思いすごしでしょうか？

答え　思いすごしではありません。「自分はいったい誰なのか？」という真実を理解するには、「どう考えるか」よりも、「どう感じるか」のほうが、ずっとあてになるんです。みなさんが、心の奥ですでに知っていること以外には、わたしは、なにも伝えることはできません。「からだに住まう」度合いが、あるレベルに達した時点で、わたしたちは真実を聞くと、それとわかるようになります。まだそのレベルに達していない人は、インナーボディを意識するエクササイズをすれば、「からだに住まう」レベルを高められるはずです。

第10節　老化のプロセスをスローダウンさせる

インナーボディを意識していると、肉体レベルでも、恩恵が得られます。そのひとつは目に見えて、老化のペースが遅くなることです。

インナーボディを意識するレベルが高まるにつれて、しだいにインナーボディとの融合の度合いも完璧になっていきますが、インナーボディ自体は、歳月によって変化することはありません。一方、「衣」である肉体のほうは、比較的あっという間にガタがきて、衰《おとろ》えてしまう気がします。二十歳でも、八十歳でも、インナーボディのエネルギーは、同じように感じられます。インナーボディは、八十歳になっても、二十歳の時と変わらず、いきいきと生命力にあふれているのです。

思考にとらわれた「からだ不在」の状態から「からだに住まう」、または「いまに在る」状態に習性が変わると、肉体は以前よりも軽く、クリアーで、いきいきと感じられます。身体中の意識の割合が増えるために、細胞の分子構造の密度があらくなるからです。意識の割合が増えると、物質に対する幻想は減っていきます。「衣」である肉体でなく、時間を超えたインナーボディとひとつになって、「いま」に在り、過去と未来に思いをはせないなら、わたしたちはもう、心にも細胞にも、時間を積もらせることはありません。過去と未来にまつわる重荷という時間を堆積《たいせき》させることが、細胞の修復能力を著しく損なっているのです。いつもインナーボディに住んでいれば、肉体は、かなりゆっくりしたペースで衰えるようになります。たとえ衰えたとしても、時間を超えた「ほんとうの自分」が肉体を透過して輝くため、年齢よりも、若々しい印象を与えます。

問い これには、科学的な裏づけがあるのですか？

答え 自分で試してごらんなさい。あなた自身が生きる証拠になりますよ。

第11節 免疫機能を強化しよう

「からだに住まうこと」が肉体に与えるもうひとつの恩恵は、免疫力《めんえきりょく》を格段に高めることです。からだを意識で満たすほど、免疫力はいっそう強力になるのです。それは、まるで細胞のひとつひとつが目を覚まし、生きる喜びにあふれているかのような感じです。からだは、わたしたちから意識されることが、嬉しいのです。また、これは自己治癒《ちゆ》の方法としても有効です。ほとんどの病は「主人」の「不在時」に、からだに忍びこんできます。主人の留守中には、さまざまな胡散《うさん》くさい連中が、「住まい」をわがもの顔で占領してしまうのです。主人がからだに住んでいれば「迷惑客」は家にあがりこめません。

強化されるのは、肉体の免疫力だけではありません。精神の免疫力も大いに高められます。精神の免疫力は、感染性が高い他者のネガティブなエネルギーから、わたしたちを保護する機能です。からだに住まうとバリアができて、そのバリアがわたしたちを守るのではありません。自分の波動を高めることによって、恐れ、怒り、鬱《うつ》などの低い波動のものとは、実質的に別の次元に存在できるのです。ネガティブエネルギーはもう、その人の意識に侵入できなくなってしまうのです。たとえはいってきたとしても、その人がまるで透明人間であるかのように、その人のからだを通り抜けていくだけなので、抵抗する必要もありません。わたしの言うことを、ただ鵜呑《うの》みにしたり、度外視したりせずに、自分で試してごらんなさい。そうすれば真実かどうか、わかりますよ。

免疫力の強化が必要だと感じた時に最適な、シンプルで効果抜群の自己治癒《ちゆ》の瞑想《めいそう》法があります。病気の兆《きざ》しが見えはじめた時点で、すぐに手を打てば特に効果的ですが、すっかり居座ってしまっている病気に対しても、集中して根気強くおこなえば、威力を発揮します。さらに、ネガティブエネルギーによって自分の波動が乱されるのを防ぐ働きもします。ただし、この瞑想は、あくまでもインナーボディに住まうエクササイズの代用ですから、これだけでは効果は長続きしないでしょう。では、以下が瞑想法になります。

エクササイズは、心身ともにリラックスしている就寝前か、朝起きぬけ時の寝床の中でおこなうのが理想的です。すべての活動からからだを解放し、意識で充満させるのです。まず仰《あお》向《む》けに寝て、目を閉じます。手、足、腕、おなか、胸、頭、という具合に順繰りにからだの各部に意識を集中させていきます。最初は一箇所につき十五秒くらいずつ費やします。各部のうちにある生命エネルギーを、できるだけはっきりと感じましょう。

次に、意識を足から頭、頭から足と、全身にくまなく、波のように数回かけめぐらせます。これは一分間もすればいいでしょう。それから、インナーボディをひとつのエネルギー場として、全身で感じます。その感覚を数分間保ちます。その間、からだのすべての細胞に、強烈に「在る」よう意識を集中させます。時おり、思考がはいりこんできて、意識がからだの外に引っぱり出され、考えに没頭してしまうことがあるかもしれませんが、気にしないでください。集中力が乱れていると気づいた時点で、意識をインナーボディに戻せばいいのです。

第12節　呼吸を利用してインナーボディとひとつになるエクササイズ

問い　いろんな考えが、頭の中でぐるぐるかけまわり、インナーボディに集中できなくなることがあります。不安や焦燥《しょうそう》感におそわれた時は、特に難しいです。なにかいい解決策はありませんか？

答え　インナーボディに集中できない時には、呼吸に焦点を当てるといいですよ。意識的な呼吸は、それのみで素晴らしい瞑想法であり、しだいにインナーボディとひとつになれるはずです。呼吸するたびごとに、空気が出たりはいったりするのを、意識で追ってみましょう。息を吸ったら、わずかにおなかがふくらんで、息を吐いたら、おなかが縮まるのを意識してください。視覚化が得意なら、目を閉じ、自分が光に囲まれているところか、光り輝く物質（「意識の海」）に包まれているところをイメージしてみましょう。そしてその光を吸いこむのです。輝く物質がからだを満たし、からだを輝かせていると、感じましょう。さらに、もっと感覚に焦点を当てていきましょう。あなたはいま、からだの中にいます。なんらかのイメージが浮かんでくるかもしれませんが、気にとめないでください。

第13節　頭をクリエイティブに使うコツ

目的があって、頭脳を使う場合は、インナーボディと協力して使いましょう。思考が止まった、頭が空っぽの状態になってはじめて、頭脳を建設的に使うことができるのです。この状態になれる一番の近道は、からだを使うことです。解決策や、ひらめきが欲しい時には、しばらくのあいだ思考活動を止め、インナーボディに意識を集中させます。「無心状態」になるのです。そうしてから、あらためて思考活動をおこなうと、頭脳はさえて、クリエイティブになります。どんな知的活動をするにしても、思考状態と、思考をしていない「無心状態」を、数分おきで、交互に経験することを習慣にしましょう。つまり、「頭だけ」で考えないで、「からだ全体」で考えることが、コツなのです。

第14節　人間関係を豊かにする「聞き方」の秘訣とは？

人の話を聞く時には、頭だけで聞かないで、「からだ全体で」聞くよう心がけましょう。話を聞くと同時に、インナーボディを感じるのです。こうすると、「無心状態」をつくることができ、思考に邪魔されずに、ほんとうに話を聞くことができます。相手に「いまに在る」ためのスペースを与えているのです。これは、話し相手に与えられる、一番貴重な贈り物です。ほとんどの人は、この「聞き方」をしていません。話を聞いている時でも、頭は考えることでいっぱいです。相手がなにを言っているかよりも、考えることのほうに気がとられているのです。しかも、一番大事なことを、なおざりにしています。それは、相手の言葉と思考の奥にある、「大いなる存在」です。わたしたちは、自分自身の「大いなる存在」をとおしてしか、誰かの「大いなる存在」を感じることができません。さらに、相手の「大いなる存在」を感じてはじめて、「すべてはひとつにつながっているんだ！」、という認識に目覚められるのです。「すべてがひとつにつながっている」ことに気づくことが、「愛」なのです。「大いなる存在」の次元では、わたしたちは、万物とひとつなのです。

ほとんどの人間関係は、思考の相互作用で成り立っていて、「魂の交流」になっていません。これでは、人間関係が豊かになるはずもなく、いざこざが絶えないのも、もっともです。思考が支配的であるかぎり、不和、対立、争い、問題は避けられません。人間関係を実りあるものにするには、インナーボディを感じ、無心状態をつくることが肝心です。

（第6章参照）でご説明したように、「光の視覚化」をするのもいいでしょう。ただし、インナーボディがひとつのエネルギー場に感じられた時点で、イメージはすべて頭から追い払い、感覚だけに意識を集中させましょう。からだの物質的なイメージがあるなら、これも同様に消し去ってください。すると、あなたの中には、万物《ばんぶつ》に広がっている「在《あ》る」という感覚だけが残ります。自分のからだと外界のあいだには境界線が存在しないように感じられます。そうしたら、その感覚を強められるよう、さらに意識を集中させます。「在る」という感覚と、ひとつになるのです。自分と自分のからだのあいだに、「観察する側」と「観察される側」という区別がなくなるくらい、感覚とひとつに溶け合いましょう。内側と外側という区別も、この段階では消えてしまい、「インナーボディ」という感覚さえ、なくなってしまいます。からだの奥へ、奥へとはいりこむことによって、からだを超越したのです。感覚が心地よいと感じられるかぎり、この「大いなる存在」の空間にとどまりましょう。心ゆくまで味わったら、物質的な肉体、呼吸、身体の感覚と、順次意識してゆき、それから目を開けます。周囲を数分間見渡しながらも、インナーボディを意識します。すぐには思考活動をしないでください。

このように、かたちにしばられない空間にはいりこむのは、とても解放感があるものです。このエクササイズをすると、かたちのアイデンティティから自由になれます。わたしたちがはいった次元は、万物が分裂して、個別化する前の世界なのです。この次元を「目に見えない世界」「万物の源」「大いなる存在」と言いかえることもできます。それは沈黙と平和の次元であると同時に、喜びと力強い生命力の次元なのです。「いまに在る」人の肉体は、いくらか透明になり、純粋な意識である光に近づきます。さらに、その光が「ほんとうの自分」をつくっている要素そのものであることにも気づくでしょう。

第2節　気がわき出る源はなにか?

問い　「目に見えない世界」というのは、宇宙の生命エネルギー、すなわち、「気」というものですか?

答え　いいえ、違います。気はインナーボディのエネルギーで、その源泉が「目に見えない世界」です。気は「目に見える世界」と「目に見えない世界」の中間に位置し、物質としてのわたしたちと、「目に見えない世界」をつなぐ、パイプ役をしているのです。エネルギーが川のように流れている様子をイメージしていただくと、わかりやすいかもしれません。意識を集中させて、インナーボディの奥へ、奥へとはいりこむと、「目に見えない世界」にたどり着きます。気は「動」で、「目に見えない世界」は「静」です。「無心状態」の時には、インナーボディや気を超えて、すべての源である、「目に見えない世界」とつながっているのです。気は「目に見えない世界」と、物質的な宇宙をつなぐ橋渡しをしているのです。

インナーボディの奥へ奥へとはいっていくと、「目に見える世界」が「目に見えない世界」の中に融合していると同時に、「目に見えない世界」が、気というエネルギーになって、世界をつくっている場所に到達できるかもしれません。ここが、誕生と死の発生する地点なのです。わたしたちが意識を外に向けると、思考と世界が現われます。意識を内に向けると、意識は、生まれ故郷である「目に見えない世界」に帰ります。「目に見えない世界」にいる時のわたしたちは、かたちのアイデンティティを持っていません。意識が「目に見える世界」に戻ってくると、かたちのアイデンティティをふたたび身にまといます。「名前」、「過去」、「人生の状況」、「未来」を背負うのです。しかし、「目に見えない世界」への帰還を一度でも経験した人は、経験する前とは、まったく別人になっているはずです。自分自身に内包された、「目に見えない世界」という実体をかいま見たからです。とは言うものの、ちょうど、わたしたちがこの世界から完全に独立していないのと同じように、「目に見えない世界」も、この世界と独立しているわけではありません。

これからは、外界と思考だけに意識を注がないことを、人生の目標にしましょう。どんな時でも、いくらかは、自分の内面を意識しているのです。人と交流している時や自然に接している時には特にインナーボディを感じましょう。インナーボディの奥にある「沈黙」を感じてください。「目に見えない世界」の入口を、いつでも開けておくのです。一生をつうじて、「目に見えない世界」を意識していることも、決して不可能ではありません。外界でなにが起こっても、「目に見えない世界」を感じていれば、ゆるぎない心の平安、沈黙を得られます。こうすることで、「目に見えない世界」と「目に見える世界」をつなぐ、パイプ役をしているのです。「神」と「この世」をつなぐパイプ役とも言えます。これこそが「さとりをひらくこと」であり、「大いなる存在」とひとつになることなのです。

「目に見えない世界」と「目に見える世界」が完全に独立していると思いこんでいませんか？　それな

ら、そんな考えは頭から追い払いましょう！　このふたつが独立しているなんてことは、あり得ません。「目に見えない世界」は、この世のすべての存在に息づく生命であり、エッセンスなのですから。それはこの世界に、くまなく広がっています。具体的に説明していきましょう。

第3節　夢を見ない、深い眠り

夢を見ていない、深い眠りの状態にはいっている時のわたしたちは、「目に見えない世界」へと、旅をしているのです。この時、「大いなる存在」とひとつに溶け合っているのです。ここでは、「目に見える世界」で生命を維持するための、エネルギーを供給しています。このエネルギーは、わたしたちにとって、食物よりもずっと大切なものです。「人はパンのみで生きるのではない」とは、まさに至言《しげん》です。この深い眠りの状態は、自分の意思でコントロールできません。この時、からだはきちんと機能していますが、個性のある「わたし」は存在しません。完全に意識を保ったまま、夢を見ない眠りを体験するのが、どんな感じか、想像できますか？　実は、想像することもできないのです。なにしろその状態には、「内容」がないのですから。

意識を保ったまま、自分の意思で「目に見えない世界」にはいらないかぎり、ほんとうの意味で自由にはなれません。イエスが「真実はあなたを自由にします」とは言わずに、「あなたは真実を知る。そうすれば、真実はあなたを自由にします」と表現した真意は、ここにあります。これはたんなる理論ではありません。永遠の生命である、「大いなる存在」の真実であり、はっきりとそれを知っているか、まったく知らないかのどちらかです。

意識を保ったまま、夢を見ない眠りを経験しようと試みるのは、あきらめましょう。成功する確率はゼロに近く、徒労に終わってしまいます。ただし、夢見の状態で意識を保つことは不可能ではありません。この状態は「明晰夢《めいせきむ》」[lucid dreaming]と呼ばれ、たしかに興味をそそられるものですが、真の解放感はありません。

これが、インナーボディを使って「目に見えない世界」にはいる方法がベストだと、わたしが考える理由です。「大いなる存在」に絶えずつながっていられるように、入口はいつも開けたままにしておきましょう。物質的なからだが、強靭《きょうじん》でも、脆弱《ぜいじゃく》でも、インナーボディには、なんら影響はありません。インナーボディは歳をとらないからです。もしインナーボディをまだ感じることができないなら、ほかの入口を使ってみましょう。ただし、究極的にはすべての入口はひとつにつながっています。いくつかはすでにお話ししましたが、ここで手短にもう一度触れておきましょう。

第4節　「目に見えない世界」の入口

「いま」は、いわば「目に見えない世界」の「正面玄関」です。「いま」はインナーボディも含め、ほかのすべての入口にかかわってくる、重要なポイントです。強烈に「いまに在る」ことなしには、「インナーボディに住まう」ことはできないからです。

時間と「目に見える世界」のふたつは、縒《よ》りあわせた糸のように、緊密に結びついています。「いま」と「目に見えない世界」がピッタリくっついているのと同じです。強烈に「いまに在り」、自分の中の「心理的時間」を溶かすことができれば、直接的にも間接的にも「目に見えない世界」に気づくようになります。

「いまに在る」ことで、パワーがみなぎってくるのが、直接的な気づきです。「目に見えない世界」を、感覚を通して意識するようになることが、間接的な気づきです。具体的に言うと、「神のエッセンス」を花から、石から、森羅万象から、感じとるようになるのです。あなたはこう心でつぶやくでしょう。「存在するものは、すべて神性なんだ！」。トマスの福音書の中の、イエスの言葉は、まったく同じことを表現しています。「木を割りなさい。わたしはそこにいます。石を持ちあげなさい。あなたはそこにわたしを見つけます」

「思考を止めること」でも、「目に見えない世界」の入口が、開きます。「思考を止めること」は、ごく単純な動作で実践できます。たとえば、意識して大きくひとつ深呼吸する、精神を集中して、花を見つめる、といった具合です。ただし、同時に頭の中で「実況解説」をしないよう、注意しましょう。思考の流れに「すきま」をつくる方法はたくさんあります。瞑想をおこなうのも、ひとつの方法です。思考は「目に見える世界」に属するため、持続的に思考活動をしていると、かたちの世界に閉じこめられてしまうのです。それだけではありません。「目に見えない世界」と、万物に息づく「神のエッセンス」に気づくのを妨げる、不透明なカーテンをつくってしまうのです。強烈に「いまに在る」時には、思考が止まっているかどうかを、確認する必要はありません。なぜなら、「いまに在る」時には、自動的に思考は止まっているからです。「いま」がすべての入口の重要なポイントである理由は、ここにあります。

もうひとつの「目に見えない世界」の入口は、「すべてを手放すこと」、「すでにそうであるもの」に対する心の抵抗をやめることで開きます。理由は至極簡単です。執着心と抵抗が、わたしたちを、「ほんとうの自分」や万物から切り離してしまう元凶だからです。抵抗は、「すべては分離している」というエゴ的意識を助長します。「すべては分離している」という意識が強ければ強いほど、すべてが別々のかたちを持つ「目に見える世界」にしばられるようになります。「目に見える世界」にしばられるほど、かたちのアイデンティティが強固になります。「目に見えない世界」の入口は閉じ、「大いなる存在」を押しやってしまいます。

すべてを手放すと、わたしたちの物質的なからだは柔軟になり、いくらか透明になります。すると「大いなる存在」がわたしたちの「衣」を貫いて輝きはじめるのです。

「大いなる存在」につながるために、「目に見えない世界」の入口を開けておくか閉めておくかは、自分次第です。お話ししたとおり、入口はいくつかあります。インナーボディのエネルギーを感じることがひとつ。強烈に「いまに在る」ことがひとつ。思考を止めることがひとつ。すべてをあるがままに受けいれることがひとつ。全部の入口を使う必要はありません。実際に使うのは、このうちのひとつだけでいいのです。

問い　やっぱり「愛」も、入口のひとつに数えられるべきでしょうね。

答え　いいえ。このうちのひとつの入口が開き次第、「万物はすべてひとつである」という気づきとして、「愛」が表われます。愛は入口そのものではありません。愛は入口をつうじて、この世界に運ばれてくるものです。かたちのアイデンティティだけにとらわれているかぎり、愛は表われません。わたしたちの仕事は、愛を探すことではなく、愛がはいってくるための入口を開けることなのです。

第5節　沈黙も入口のひとつ

問い　これ以外にも、「目に見えない世界」の入口はあるのでしょうか？

答え　ええ、ありますよ。「目に見えない世界」は「目に見える世界」と完全に独立してはいません。「目に見えない世界」は、この世界にあまねくゆきわたっています。ただ、その見事なカモフラージュぶりに、誰もがつい見落としてしまうんです。見るべきところさえわかっていれば、あらゆるところに「目に見えない世界」を見つけだせます。入口は、いつでも開けることができるんです。

　遠くで犬がほえているのが聞こえますか？　車が走る音は？　よーく耳を澄ましてください。「目に見えない世界」を、そこに感じることができますか？　感じられませんか？　音がやってきて、また帰っていく源である「沈黙」に、それを感じてください。音よりも「沈黙」に意識を集中させましょう。外界の「沈黙」を意識することが、内面に静けさをもたらすからです。思考はぴたりと活動を止めます。すると入口が開きます。

　音はみんな、沈黙から生まれ、沈黙の中に消えていきます。そして音が鳴っているあいだも、沈黙に包まれています。沈黙こそが、音を音にさせているのです。沈黙はあらゆる歌、さらに、その中のすべての音符、あらゆる言葉に不可欠です。沈黙は、歌や言葉の中にある「目に見えない世界」なのです。つまり、「目に見えない世界」は、この世に沈黙というかたちで存在しています。これが、「この世で、『沈黙』ほど、神に似たものはない」と言われている理由です。

沈黙に焦点を当てましょう。会話の最中でも、文と文のあいだ、言葉と言葉のあいだの「すきま」に気づくようになりましょう。すると、自分の内面の奥行きも広がります。外界の沈黙を意識すると、内面も静まるしくみになっているのです。これでわたしたちは「大いなる存在」につながれます。

第6節　空間にはどんな意味があるのか?

音が沈黙なしでは音にならないのと同じように、なにものも、「無」、あるいは「空間」がなくては存在できません。いかなる物体も、肉体も、無から生じ、無に包まれ、いずれは無に帰っていきます。それだけではありません。どんな肉体も、「無」の割合が「物質」をはるかにしのいでいるのです。物理学者も、物質が固体であるというのは、幻想にすぎないことを証明しています。わたしたちの肉体はもちろん、どう見ても、固体にしか見えないものでさえ、一〇〇パーセント近くが「空《から》っぽ」なのです。個々の原子のサイズと、それら原子間の隔たりを比較すると、隔たりのほうが、圧倒的に大きいからです。それだけではありません。なんと、原子の中身でさえ、これまた、ほとんど「空っぽ」なのです。

そこに残るのは、固体の粒子というよりは、ひとつの音に近く、バイブレーションみたいなものです。仏教僧は、この事実を二千五百年以上も前に、すでに喝破《かっぱ》していました。仏教の経典の中で、もっともよく親しまれている般若心経には、「かたちあるものは、すべて空《くう》であり、空はかたちである」とあります。万物の本質は「空」なのです。

「目に見えない世界」は、この世に沈黙として存在するだけではありません。それは物質界の内にも外にも、「空間」として、あまねく広がっているのです。「空間」も、沈黙と同じくらい、見落とされがちなものです。空間の中の物体には、誰しも気づきますが、空間そのものに着目する人はいるでしょうか?

問い お話から察すると、「空間」、すなわち「無」には、なにか謎めいた性質が秘められているようですが、「無」のほんとうの正体はいったいなんですか?

答え そういった質問をされても困ります。あなたの思考が、「無」を「なにか」にしたてあげようとしているからです。「無」を「なにか」にしてしまった瞬間、あなたは「無」の本質を見失ってしまいます。「無」は、「目に見えない世界」が、「目に見える世界」に表われた姿なのです。「無」について解説できるのは、これが精一杯でしょう。しかもこれでさえ一種のパラドックスなのです。「無」は、人間の知的活動の対象になり得ないからです。「無」について、博士号を取得したりはできません。科学者が「空間」について研究しようものなら、往々にして「空間」を「何か」にでっち上げてしまうので、本質を完全に見誤ってしまいます。最近では、「空間は、実は空っぽではなく、ある物質で充満している」という結論にたどり着いた、というのも、もっともなことです。いったんある理論を思いついたら、それを立証するのはそれほど難しくありませんから。少なくともそれにかわる理論が見つかるまでは、事実として通用するわけです。

「無」を把握《はあく》しよう、理解しようとしているかぎり、それを「目に見えない世界」の入口にはできません。

問い 「無」を把握し、理解することが、わたしたちが、ここでしようとしていることではないんですか?

答え まったく違います。わたしは、ここでみなさんにヒントを与えているのです。みなさんが、「目に見えない世界」にはいれるようになるための、ヒントです。「無」を理解してもらおうとしているわけではありません。理解すべきことなど、ひとつもないのですから。

空間には、なにも存在しません。「存在する」という言葉は、英語では「きわだつこと」を意味します。わたしたちは、空間がきわだつから、それに気づくのではありません。空間自体には、なにも存在しませんが、空間はあらゆる物質を存在させているのです。沈黙にも、なにも存在しません。「目に見えない世界」も同じです。

いま、わたしたちがいる部屋の「本質」はなんでしょう？　家具、絵は、部屋の中にありますが、部屋そのものではありません。床、壁、天井は、部屋の範囲を区切っているだけで、これも部屋そのものとは言えません。では部屋の本質とは、いったいなんでしょう？――そうです。「空っぽの空間」です。それがなければ、部屋は部屋でなくなります。空間は「無」ですから、そこに「無いもの」がそこに「あるもの」より、ずっと重要である、と言うこともできます。自分をとりかこむ、空間を意識するようになりましょう。それについて考えるのではありません。「無」の存在を感じましょう。「無」に意識を向けると、意識のシフトが起こります。その理由は、「空間」か「沈黙」を意識すると同時に、思考活動をすることができないからです。周囲の空っぽのスペースを意識することは、「目に見えない世界」を意識することなのです。こうして、空間に意識を集中させても、入口を開けることができます。

空間と沈黙は同じ事物のふたつの性質なのです。このふたつは、「目に見えない世界」の性質が「目に見える世界」に現われたものです。「目に見えない世界」が、万物を創造する無限の母胎《ぼたい》なのです。ほとんどの人は、「目に見えない世界」の存在を、まったく意識していません。空間も沈黙も、なきがごとしです。それが原因で、すっかりバランスを欠いているのです。言い方を変えると、多くの人たちは「物質界」について熟知していながら（または、そう思いこんでいるだけで）、肝心の「神」を知らないのです。自分を物質、思考のアイデンティティだけで定義づけ、「ほんとうの自分」については、なにもわかっていません。そして、かたちあるものはみな、極めて不安定であるために、恐れの中に生きるはめになります。この恐れがもとで、自分自身と万物に対して、ひどく誤った認識をするようになり、世界観、人生観をゆがめてしまうのです。

どんな天変地異が起こっても、「目に見えない世界」はびくともしません。「奇跡のコース」［A Course in Miracles］は、この真実を端的に表現しています。「ほんとうのものは、なにひとつその存在がおびやかされることはない。本物でないものは、なにひとつ存在しない。ここに神の平和あり」

意識して「目に見えない世界」とつながっている人は、愛を重んじ、「目に見える世界」に生きるすべての生命を、「大いなる存在」の顕現《けんげん》として、深く慈《いつく》しみます。それと同時に、かたちあるものはすべて滅びゆく運命にあり、究極的な意味では、「この世のことは、なにひとつ、大したことではない」という事実にも気づいています。このように達観した人は、イエスの表現を借りると、「世界を制覇した」のであり、ブッダの表現では「彼岸《ひがん》へ往《い》った」ことになります。

第7節　時間と空間のほんとうの意味

では、頭をやわらかくして、以下のことについて考えてみましょう。

もしも、沈黙以外になにも存在しなかったら、沈黙はもはや存在しません。わたしたちは、沈黙を沈黙であると、わかることができないのです。音があって、はじめて沈黙が存在し得るのです。同じように、空間以外に、なにも存在しなかったら、空間を認識することはできません。あなたの意識だけが、星もなにもない、空っぽの空間に漂っているところを想像してごらんなさい。空間は、もはや広大無辺《こうだいむへん》ではありません。物体がなければ、空間自体も存在しないからです。スピードもなく、「ここ」から「そこ」への移動もありません。距離と空間を成立させるためには、少なくともふたつの点が必要なのです。

「ただひとつのもの」が、ふたつになった瞬間に、空間は存在します。さらに「ふたつのもの」が「幾多のもの」になる時、老子が「顕在化された世界」と呼ぶものが誕生し、空間は一層広大になります。つまり、世界と空間は同時に出現したのです。空間自体は「無」でありながら、なにものも、空間がなければ存在できません。宇宙の出現（ビッグバンと呼んでもいいでしょう）の前に、空っぽのスペースがあって、満たされるのを待っていた、というのではないのです。そこには、なにひとつ存在していなかったのですから、空間さえなかったのです。ただひとつの「大いなる存在」――「神」のみでした。

神が「幾多のもの」になった時、突如として空間が出現し、数多くのものを存在させたのです。空間はいったいどこからやってきたのでしょう？　宇宙を存在させるために、神が造られたのでしょうか？　もちろん違います。空間は無ですから、それは創造されたのではありません。快晴の夜に、空を見上げてごらんなさい。肉眼で見える幾千の星たちでさえ、存在するすべての星の、ほんのひとにぎりにも満たないのです。高性能の望遠鏡は、すでに十億もの星雲を発見しています。しかも、島宇宙と呼ばれる星雲自体が、無数の星の群れなのです。なおもわたしたちに畏敬の念を抱かせるのは、これら壮大なもののすべてを存在させている、空間の果てしなさであり、懐《ふところ》の深さであり、静けさです。これ以上に荘厳で、わたしたちを圧倒してしまうものが、ほかにあるでしょうか？　しかし、その正体はなんでしょう？　空っぽ、無限の「空《くう》」です。

わたしたちの知覚が、宇宙空間と認識しているものは、「目に見えない世界」がこの世界に表現されたものです。これは言わば、「神のからだ」と言ってもいいでしょう。さらに驚くべき奇跡は、宇宙を存在させる壮大な空間は、わたしたちの外側だけにとどまらないことです。それは、わたしたちの内側にもあるのです。完全に、一分のすきもないほど、「いまに在る」時、「目に見えない世界」とつながり、その沈黙と空間を感じることができるのです。この空間は深さにおいて無限なのであって、距離においてではありません。これはすべてを超越した「大いなる存在」の特質です。

問い　アインシュタインによると、時間と空間はつながっているらしいのですが、わたしには難しすぎて、理解できません。彼はこの概念を、時空連続体と名づけました。これは、時間は四次元空間に存在するという意味なのでしょうか？

答え　そうです。わたしたちが、空間や時間とみなしているものは、究極的には幻なんです。しかし、このふたつは神の本質を内包しています。神という存在にとって欠かすことのできない「無限」と「永遠」という特性が、空間と時間というかたちで、この世に表われているのです。この特性は、常識で考えると、人間には無関係としか思えませんが、人間もまた、本質的には、神と同様「無限」であり、「永遠」であることを証明するしかけが、人間に内蔵されているのです。わたしたちは、限界のない「無心状態」の世界にはいる時、「無限」を体験します。また、「いまに在る」時には、「いまは永遠である」、という認識に到達しますが、こうして「永遠」を実感できるのです。これらは、わたしたち人間も、「無限」「永遠」の存在であることの証《あかし》なのです。

実を言うと、「時間」と「空間」は、同じものなんです。これは、わたしたちにとっては、なかなかとらえにくい概念です。しかし、わたしたちが、「無心状態」と「いまに在る」ことを経験して、「空間は無限なもの」であり、「時間は永遠なもの」であると認識してしまえば、「空間」と「時間」は、それほど重要ではなくなります。また、「目に見える世界」のとりこになってしまうこともないでしょう。

つまるところ、この世界がつくられた、究極の目的は、この世界の中にではなく、この世界を超越したところにあるのです。ちょうど、空間に物体がなければ、空間を知ることができないのと同じように、「目に見えない世界」を知るには、「目に見える世界」が必要なのです。こんな仏教の言い習わしをご存知ですか？「幻がなければ、さとりも生まれず」。つまり、「目に見える世界」をとおして、究極的には「わたしたち」をとおして、「大いなる存在」はおのれを知ることができるのです。わたしたちは、神が宇宙を使って、目的を達成するために、ここにいるのです！さあ、自分がいかに、かけがえのない存在であるか、おわかりですか！

第8節　死の前に「死ぬ」こと

夢を見ない、深い睡眠のほかにも、自分の意思でコントロールできない入口があります。それは、肉体の死の瞬間開きます。たとえ一生涯、さとりをひらくチャンスを、すべて棒にふってしまっても、肉体の死の直後、最後のとびらが開くのです。数多くの臨死体験レポートによると、この入口はまばゆい光だったと、体験者は語っています。さらに、彼らの多くが、その時、至福感、安らぎ、深い平和を経験したとも報告しています。「チベット死者の書」[Tibetan Book of the Dead]には、この入口が「『空』の透明な光が輝く栄光である」と、記されています。しかもこの輝く光こそが、わたしたちの「ほんとうの姿」である、と言うのです。

この入口は、ほんの一瞬しか開かないため、生存中に「目に見えない世界」にはいったことがない人は、それを見逃してしまう傾向にあります。「目に見える世界」に固執しているほとんどの人は、抵抗と恐れに支配されているので、入口を目の前にすると、恐怖のため目をそむけ、意識を失ってしまうのです。その後に起こるほとんどのプロセスは、意思に関係なく、自動的です。そうこうしているうちに、生死の次のラウンドがはじまってしまいます。多くの人の「在り方」は、死に際して意識を保っていられるほど、強くないのです。

問い　では、この入口をとおりぬけることは、「魂の消滅」を意味するわけではないんですね？

答え　ほかのすべての入口もそうですが、そこをとおったからといって、「ほんとうの自分」が、消えたりすることはありません。個性の真価を含め、「本物」はみな、永遠に輝きつづけるのです。決して失われたりはしませんから、安心していいんですよ。

死の体験そのものはもちろん、物質的な「からだ」が死んでいく時は、さとりをひらく絶好のチャンスなのです。わたしたちの文化は、ほんとうに大切な事柄については、ほぼ徹底して無知であると、わたし自身は感じていますが、死も例外ではありません。死というものについて、とことん無知な文化の中で生きているために、大多数の人が、残念なことに、この機会を逸《いっ》してしまうのです。

どの入口をとおっても、死ぬのは「にせの自分」だけです。入口をとおりぬけると、かたち、思考によってアイデンティティをつくることをやめるのです。その時点で、かたちのアイデンティティは幻にすぎない、と気づくと同時に、死も幻だと気づきます。「幻想の終わり」――これが、まさに「死の正体」なのです。この経験は、幻想にしがみついていなければ、痛みなど伴わないはずです。

第8章

さとりに目覚めた人間関係をきずこう

第1節　どんな状況にいても、「さとり」は「いま」ひらける

問い　「真のさとり」というものは、愛するパートナーがいなければひらくことはできないと、わたしは信じています。愛する人こそが、わたしたちを完全無欠にする、切り札ではないでしょうか？　パートナーと、愛を分かち合えずには、いかんせん人生を満ち足りたものにはできませんよね。

答え　その見解は、あなたの実体験に基づいているのですか？　あなたは現に、そうやってさとりをひらいたのですか？

問い　そ、それはまだですけど……。でも、これが真実でないはずがありませんよ。さとりというものはそうやってひらくのだと、わたしは信じています。

答え　それは、別の言い方をするなら、あなたは理想のパートナーが「そのうち」現われるまで、さとりをひらくのを「待っている」ということですね。これこそ、わたしが、本書で再三とりあげてきた「根本的なエラー」ではないですか？　さとりは「そのうち」「どこかで」達成されるものではありません。さとりは「いま」「ここに」あるんです。

問い　「さとりが『いま』『ここに』ある」って、どういう意味ですか？

答え　ほとんどの人は、肉体的な快楽や、物質的な満足感によって、自分が幸福になったり、恐れや欠乏感が解消されたりすると信じて、それらを追い求めています。身体的な快楽によって、自分が生きている、という実感を覚えたり、物質の獲得によって、存在価値が高められたと思ったりすることは、たしかにあるでしょう。しかし、これは「不満」と「欠乏」を出発点とし、そこからなにかを求めています。ところが、「不満」や「欠乏」を出発点にしているかぎり、手にする満足感は、いつもつかの間ですぎ去り、「理想の未来」を、永遠に頭に描きつづけることになります。「『これ』を手に入れ、『あれ』から自由になったら、その時やっとわたしは『幸福』になれる」——これが、「未来でなら、さとりをひらける」という幻想を生む、「無意識」な心構えの典型です。

ほんとうにさとりの境地にある人は、人生のすべての面において満たされているものです。それは「素」の自分でいることであり、対極のない「善」を自分自身に感じることであり、なにものにも依存しない、「わたしは在《あ》る」という喜びです。それは一過性ではなく、いつも自分とともにある感覚です。有神論的な表現をするなら、それが「神を知ること」なのです。しかも「神」を、自分の外側にいる「誰か」ととらえるのではなく、自分の内奥にあるエッセンスとして感じるのです。「真のさとり」は、万物を存在させている、時間もかたちもない「大いなる存在」と、自分がひとつであると知ることなのです。

さとりは、自由の境地です。恐れ、苦痛、欠乏（「自分は十分でない」という思いこみ）、その欠乏に起因する渇望、貪欲《どんよく》、しがみつきなどの感情から解放されています。さらに、強迫的な思考、ネガティブ性、過去と未来に対する執着心からも解放されています。思考は、わたしたちにこうささやきます。『ここ』からじゃ、『そこ』にはたどり着けないよ」。さとりをひらくには、条件がある、と思考は言っているのです。その条件とは、なにかの出来事が起こることだったり、わたしたちが「なに者か」になることだったりします。要するに、思考はわたしたちに、「時間」が必要だと言っているのです。さとりをひらくには、なにかを見つけ、なにかを解決し、なにかを達成し、なにかを手に入れ、なに者かになり、なにかを理解する「時間」がなければダメだと言っているのです。思考は、時間が、さとりをひらくための条件だと言っているのですが、皮肉なことに、時間こそが、さとりをひらくうえで「最大の障壁」なのです。

わたしたちは、自分がまだ完璧でないから、十分ではないから、という理由で、いまこの時点の自分では、「そこ」に到達できないと考えるものです。しかし、真実は逆なんです。「いま」「ここ」だけが、わたしたちが「そこ」に到達できる唯一の地点なのです。自分はすでに「そこにいる」、と気づくことで、「そこに到達できる」のです。神を探し求める必要などない、と気づいた瞬間、わたしたちは神を見つけるのです。

結局、さとりをひらく唯一の方法などというものは、存在しません。どんな状況にいても、さとりをひらくことができますが、特定の状況が必要だということではないのです。しかし、さとりをひらける地点はただひとつです。それは「いま」です。「いま」からはなれた地点でさとりをひらくことなど、絶対にないのです。

あなたはパートナーがいなくて、わびしい思いをしていますか？　そこから「いま」にはいりましょう。あなたは交際中ですか？　そこから「いま」にはいりましょう。わたしたちは、なにかを達成すれば、さとりをひらけると思いがちですが、それは誤解です。わたしたちが、どんなことを成し遂げても、さとりに一歩でも近づいたりはしません。思考は、とうていこの事実にはついていけません。思考は、「未来にこそ、価値あるものが待っている」と信じているからです。さらに、「すでにそうであるもの」を「Ｙｅｓ！」と言って受けとめて「いま」を生きるうえで、過去の行動や悲惨な出来事は障害物にはならない、という事実も、思考には理解できません。

さとりは未来にひらけるものではありません。「いま」ひらくのか、でなければまったくひらかないか、ふたつにひとつです。

第2節　「愛と憎しみ」が表裏一体の人間関係

「大いなる存在」に、意識的につながっていないかぎり、どんな人間関係も（親密な関係は特に）深い亀裂《きれつ》が生じ、しまいには機能不全になってしまいます。恋愛関係も、互いに夢中になっているばら色の頃には、なにもかもがパーフェクトに思えます。しかし、その一見したところ「パーフェクトなもの」は、口論、衝突、不満、感情的もしくは肉体的暴力によって、ガタガタと音を立ててくずれはじめます。

しかもそれは、坂道を転がるように、悪化の一途《いっと》をたどります。ほとんどの「恋愛関係」は、それほどたたないうちに、「愛—憎しみ関係」に豹変《ひょうへん》してしまいます。みなさんにも覚えがありませんか？　愛はスイッチひとつで、手のひらを返したように、容赦《ようしゃ》のない攻撃、敵意に変わってしまうのです。しかもわたしたちの多くは、これを「ごくありふれたこと」とわりきっています。

カップルによって期間はまちまちですが、カップルは数ヶ月から数年のあいだ、愛と憎しみの両極のあいだを、振り子のように行ったり来たりし、快楽と同じくらいの痛みを経験します。カップルが、快楽と痛みを交互にくりかえすパターンに中毒になってしまうのも、決して珍しいことではありません。おもしろいもので、こういった「ドラマ」によって、人は生きる実感を味わっているのです。ポジティブ極とネガティブ極のバランスが失われ、ネガティブ極、すなわち破壊的なサイクルのほうの振幅が大きくなり、頻度を増すようになると（遅かれ早かれそうなる傾向にあります）、関係が破局をむかえるのは、時間の問題です。

みなさんは、こう考えるかもしれません。「それなら、ネガティブなサイクルのほうを取りのぞけばいいじゃないか！　そうすれば、苦しみとはおさらばで、恋愛関係には喜びだけがのこるはず」——ところがどっこい、そうは問屋がおろしません。ポジティブ極とネガティブ極は、表裏一体の関係にあるからです。ふたつのうちの一方をぬきにして、もう一方だけを手にすることはできません。ポジティブは、すでにその中に、ネガティブの芽を含んでいるからです。さらに言うと、ポジティブもネガティブもひとつの機能障害の、ふたつの側面なのです。

誤解を招かないために、ひとつおことわりしておきますが、わたしがここで説明しているのは、いわゆるロマンティックな恋愛関係のことで、「ほんとうの愛」ではありません。「ほんとうの愛」は、思考を超越した「大いなる存在」からわき出ているため、対極に位置するものが存在しないのです。現在ではまだ、「ほんとうの愛」を育《はぐく》んでいるカップルはごくわずかです。「さとりをひらいた」人と、同じくらい稀《まれ》だとみていいでしょう。ただし、思考の流れにすきまが生じた時、つかの間の愛をかいま見る人は、かなりいるのではないでしょうか。

ご存知のように、恋愛関係では、ポジティブ面よりも、機能障害などのネガティブ面のほうが、目につきやすいものです。しかも、ネガティブ面の原因は、自分ではなく、相手の側に見つけるほうが簡単です。ネガティブ面は、さまざまなかたちで表われます。例を挙げると、独占欲、嫉妬《しっと》、支配欲、カラに閉じこもる、自己の正当化、無神経、自己中心的、要求、操《あやつ》り、口論、批判、決めつけ、非難、攻撃、怒り、親から被《こうむ》った痛みを原因とした無意識のうちの復讐《ふくしゅう》心、暴力、などがあります。

ポジティブ面はというと、あなたとパートナーが「恋愛関係」にあることです。これは最初のうちは、心がとても満たされます。あなたは生きる喜びを、強く実感します。自分の存在価値が高まったように思えます。誰かがあなたを求め、必要とし、特別扱いしてくれるのですから。しかも、あなたも相手に対して同じ気持ちなのです。相手と一緒にいると、自分が完全になったように感じます。「愛って、なんて素晴らしいものだろう！」

しかし、この感覚が度を越すと、当人同士以外は目にはいらなくなり、重要性が薄れてしまうこともあります。この心理状態は、幸福感と同時に、「依存」や「しがみつき」の性質も帯びているからです。

あなたは、すっかり相手に「おぼれて」しまっているのです。相手は、あなたに対して「麻薬」に似た役割をしているのです。あなたは、「麻薬」が手元にあるときには「ハイ」でいられます。ところが、相手があなたのもとを去るのではないか、という考えが頭をよぎっただけでも、嫉妬、独占欲がわき上がり、脅迫、非難などの手段で、相手を操ろうという思いにかりたてられます。これは相手を失うことへの恐れに起因するものです。万一、相手が実際にあなたのもとを去ろうものなら、もっとも激しい憎悪の念、もしくはもっとも深い絶望に苦しみかねません。

愛情に満ちた優しさは、一瞬にして、冷酷な攻撃や、胸がはりさけんばかりの悲嘆へと姿を変えてしまいます。あの愛はいったいどこへ行ってしまったのでしょうか？　愛がこんなにすぐに、正反対のものに変わり得るのでしょうか？　そもそもあれは愛だったのでしょうか？　それともただの中毒的な所有欲や、しがみつきにすぎなかったのでしょうか？

第3節　完全になろうとして、「中毒症」になってしまうわたしたち

問い　どうしてわたしたちは、相手に「おぼれて」しまうんでしょう？

答え　ロマンティックな恋愛関係が、こんなにも鮮烈で、しかも普遍的に求められるのには、それなりの理由があります。それは、さとりをひらいていない人間には不可欠な感情である、「恐れ」、「飢え」、

「欠如」、「不完全」を、恋愛関係が取りのぞいてくれるように思えるからです。「不完全な状態」には、からだと心の両面があります。

からだの面では、人間は明らかに完全ではありません。しかし、わたしたちは、永遠に、完全になど、なれないのです。わたしたちは、男性か女性のどちらかであり、たとえて言うなら、「一個のりんごの半分」みたいなものです。からだのレベルでは、完全になることを求めて、「すべてはひとつ」の状態に戻りたい、という思いが、異性に惹《ひ》かれるというかたちで表われているのです。男性と女性が、正反対のエネルギーの極を持っているために、ひとつになろうとする衝動は、抵抗しがたいものになります。

肉体的な衝動の根底にあるのは、魂の衝動です。「二元性にピリオドを打ちたい」、「完全無欠な状態に戻りたい」、という魂の叫びなのです。セックスで得られる一体感が、「すべてはひとつ」の状態を、一番からだのレベルで体験できる方法です。これが、セックスがもっとも大きな満足感をもたらす肉体的な行為である理由です。しかしながら、性的な一体化は「すべてはひとつであること」を、一瞥《いちべつ》しているようなものです。その喜びは、ほんのつかの間です。セックスを、完全になるための方法にすることとは、物質界のレベルで、完全になることを求めていることになりますが、もちろんそこでは達成できません。わたしたちは天国を一瞬だけ、のぞき見できるかもしれませんが、そこにとどまることはできず、あっという間に「すべては別々の世界」に戻らなければならないのです。

心のほうの「不完全」という感覚は、からだの面よりも、いっそう深刻です。すでにお話ししたとおり、思考を「ほんとうの自分」とみなしているかぎり、外界のものをよりどころにして、アイデンティティをつくっています。言いかえるなら、肩書き、所有物、ルックス、成功や失敗、信念体系など、究極的には自分となんの関係もないもので、「ほんとうの自分」を定義づけているのです。思考がつくる「にせの自分」、すなわち「エゴ」は、もろく、不安を感じているため、常にアイデンティティを探し求めています。しかし、なにものも、エゴを永遠に満足させられません。恐れはいつもそこにあります。なにかを渇望する感覚もなくなりません。

しかし、そこに「救世主」が現われます。「恋愛関係」です。「愛する人が『エゴ問題』をすべて解決し、『エゴの必要』をすべて満たしてくれる！」と、わたしたちは考えます。少なくとも、最初のうちはそう確信できるでしょう。相手に出会うまえにアイデンティティのよりどころにしていたものも、いまは、比較的どうでもよくなっています。それらすべてにかわる、「人生の中心」と言えるものがあるのですから。もちろんそれは「愛する人」です。この人が、あなたが生きる理由であり、あなたは、この人で自分を定義するようになります。あなたはもはや自分のことをちっともかまってくれない（と、あなたが考えている）宇宙で、ポツンと、とり残された「かけら」ではありません。あなたの世界は、いまでは「愛する人」を中心に回っています。中心を自分の外界に据え、相変わらず外界のもので自分を定義していることから生じる不都合も、はじめのうちは気になりません。重要なことは、「不完全」、「恐れ」、「欠乏」、「不満」というネガティブな感情を、そっくり取りのぞくことができた、ということです。でも、果たしてそれは事実でしょうか？　ネガティブな感情は、ほんとうに雲散霧消《うんさんむしょう》してしまったのでしょうか？　それとも幸福の裏側に、しぶとく存在しつづけているのでしょうか？

恋愛関係の中で、愛と「愛の対極に位置するもの（攻撃、言葉の暴力など）」を、両方経験しているなら、それはエゴの「中毒的なしがみつき」を、愛と混同してしまっている可能性が高いのです。誰かを、ある時には愛し、次の瞬間には攻撃するということは、不可能です。「ほんとうの愛」には対極がありません。もし、あなたの愛に対極があるなら、それは愛ではなく、完全になりたがっているエゴの欲求を、相手が一時的に満たしてくれているだけなのです。それはエゴにとってさとりの「代用品」です。ほんの短いあいだなら、ほんもののさとりみたいに感じられるでしょう。しかし、遅かれ早かれ、パートナーがあなたの必要（と言うより、むしろエゴの必要）を満たし損ねる時がやってきます。すると「恋愛関係」がおおいかくしてきたエゴの恐れ、痛み、欠乏という感情が、どっとあふれ出してきます。

恋愛関係も、そのほかのすべての中毒症状と同じく、「麻薬」が手元にある時には「ハイ」でいられますが、麻薬が効かなくなってくる事態は、避けられません。痛みの感情が、ふたたび表面化してくる時には、始末の悪いことに、その度合いは輪をかけてひどくなっています。それだけではありません。あなたは、自分のパートナーを、痛みの犯人だとみなしているのです。そこで相手を攻撃するという方法で、自分の痛みの感情を外界に投影させます。この攻撃が、パートナーの痛みを喚起《かんき》する起爆剤となり、相手はあなたに反撃することもあるでしょう。

どんな中毒症状も、自身の痛みを直視することを無意識のうちに恐れているために、痛みを克服できずにいることが根本原因なのです。中毒症状はすべて、痛みにはじまり、痛みに終わります。中毒になっている対象が、酒、食べ物、ドラッグなどの物質でも、パートナーでも、人はそれを自分の痛みをおおいかくすために、利用しているのです。誰かと親密になると、最初の頃の幸福期間が過ぎたあとには、たくさんの不幸と痛みが押しよせてくるのは、こんな理由があるからです。人間関係そのものが、痛みや不幸をつくりだしているわけではありません。自分の中にもともとあった痛みや不幸を引き出しているだけなのです。これは、すべての中毒症状に当てはまります。「効き目がなくなる」という限界に達すると、人はより一層痛みを感じるはめになるのです。

たくさんの人たちが、「いま、この瞬間」から逃れ、未来に目を向けようとする理由は、自分の痛みと向き合うことを、なによりも恐《こわ》がっているからです。惜しむらくは、「いまに在る」ことで生まれるパワーは、恐れの根源である過去の痛みを溶かしてしまえることに、この人たちが気づいていないことです。実体である「いま」のパワーは、過去という幻影をいとも簡単に溶かしてしまえるのです。もちろんこの人たちは、「大いなる存在」がすぐ手が届くところにある、ということにも、気づいていません。

中には、痛みを避けるために、人間との接触そのものを断ってしまおうとする人もいるでしょう。でも、これも解決策にはなりません。痛みはどっちにしろ、自分の中にあるのですから、それを取りのぞかなければ、やはり痛みを経験するのです。無人島や自室に閉じこもって三年過ごすよりも、その間に三度人間関係に失敗するほうが、「さとりをひらく」可能性は大です。ただし、孤独の中で、しっかりと「いまに在る」ことができる人なら、その方法でも、さとりをひらくことができるでしょう。

第4節　「中毒的な人間関係」を「目覚めた人間関係」に変える方法

問い　中毒的な人間関係を、「ほんとうの愛」に変えることはできるんですか？

答え　ええ、もちろんです。意識を強く「いま」に集中させて、「いまに在る」パワーを増大させるのです。パートナーのいる、いないにかかわらず、これがカギです。思考やペインボディを「ほんとうの自分」と、錯覚したりしないくらい、「在り方」が強力でなければ、「ほんとうの愛」を育むことはできません。「ほんとうの自分」の正体をもうおわかりですね？　「ほんとうの自分」は、思考の根底にある「大いなる存在」であり、痛みの根底にある「愛」と「喜び」です。この真実をさとることは、わたしたちにとって最高の自由になるはずです。

ペインボディを自分から切りはなすと、ペインボディは「在る」光で照らされ、変容されます。思考を観察して、自分から切りはなすと、思考がくりかえしおこなうパターンと、エゴがいつも演じたがる役に気づくようになります。こうして、思考からパワーを奪回すれば、思考は強迫的な性質を失います。思考の強迫的な性質というのは、「決めつけ」をせずにいられないことです。決めつけをすると、「すでにそうであるもの」に抵抗することになり、痛みを生む衝突やドラマをこしらえてしまうのです。「すでにそうであるもの」を受けいれると、もう思考から支配されません。それと同時に、愛、喜び、平和が存在できるスペースをつくっているのです。すると、わたしたちはまず、自分自身に対する決めつけをやめます。つぎに、パートナーに対する決めつけをやめます。機能不全の恋愛関係を変化させる一番の触媒は、パートナーに対して、なんの決めつけもせず、相手のどんなところも変えようとせずに、ありのままに受けいれることです。これが、人間関係からエゴ的意識を取りのぞく方法です。その時点で、「思考のゲーム」と「中毒的なしがみつき」はすべて終わります。被害者も加害者もいなくなり、とがめる人も、とがめられる人もいません。相手の無意識状態に、引きずりこまれてしまうこともありません。すると、カップルの関係はどんな風に変化すると思いますか？　愛に包まれながらも、パートナーと別離しているか、もしくはパートナーも一緒に「いま」に在り、「大いなる存在」につながっているかのどちらかです。「そんなに単純なら、苦労はしないよ」と思う方もいるでしょう。でも、実はそんなに単純なことなのです！

「大いなる存在」が、愛なのです。愛は、外界にあるのではありません。それは、わたしたちの内面の、奥深くにあるのです。わたしたちは、絶対に、愛を失うことはありません。愛が、わたしたちのもとを去ることもありません。愛は自分以外の誰か、外界のなにかに依存しません。

わたしたちが「いまに在る」時、「かたちと時間を超越した『大いなる存在』が、『ほんとうの自分』なのだ！」と感じることができます。それと同時に、すべての人間、すべての創造物の根底にある、「共通の生命」を感じることができます。独立したかたち、というヴェールの奥を見通すことができたのです。これが「すべてがひとつであること」の気づきです。これが「ほんとうの愛」です。

神とはなんでしょう？　あらゆる生命形態の奥にある「ひとつの生命」です。愛とはなんでしょう？「ひとつの生命」を自分の根底はもちろん、すべての創造物の根底に感じることです。「ひとつの生命」と、自分もひとつになることです。愛はすべて、「神の愛」なのです。

愛は「えり好み」しません。ちょうど太陽の光が、わけへだてせず、わたしたちに平等に降りそそぐのと同じです。愛は、ひとりの人を特別扱いしません。愛は排他的でもありません。排他的なのは神の愛ではなく、「エゴ」の愛です。

ただ、「ほんとうの愛」でも、相手によって、感じるレベルはまちまちです。ほかの人よりも、ひときわクリアーに、ひときわ強く愛を交感できる人がいるかもしれません。相手もあなたに対して同じように感じるなら、あなたと相手は恋愛関係にあることを意味します。あなたと相手をつなぐ絆《きずな》は、バスで隣り合った人や鳥たち、木々、花々とをつなぐ絆と同じものです。絆を感じる強さが違うだけです。

中毒的な人間関係の中でも、互いの中毒的な欲求を超えた、本物の「なにか」が、瞬間的にきらりと輝くのを感じる時があるものです。こんな瞬間がおとずれるのは、カップルの思考が一時的にわきに押しやられて、ペインボディが「休止状態」になる時です。スキンシップをしている時や、奇跡のような赤ん坊の誕生に立ちあう、死に直面する、ひとりが重病をわずらうなどの、思考活動が妨《さまた》げられる出来事が、きっかけになります。思考活動がストップすると、普段《ふだん》は思考の下にうもれている「大いなる存在」が表面に現われ、真のコミュニケーションができる状態になります。

真のコミュニケーションとは、「魂の交流」であり、すべてがひとつだと、認識したうえでの人とのふれ合いです。これが「愛」なのです。思考をコントロールできるくらい「いま」に在《い》ないと、この輝きの瞬間も、またたくまにすぎ去ってしまいます。思考が活動を再開して、あなたが思考とひとつになってしまうと、もう「ほんとうの自分」ではなくなり、エゴの要求を満たすための「ゲーム」をして、「にせの自分」を演じはじめるのです。あなたは人間の「ふり」をよそおい、別の思考と作用し合う、愛と称されるドラマを演じる、「思考」に戻ったのです。

思考とひとつになる習性から、完全に脱却しないかぎり、もしくは「いまに在る」レベルが、ペインボディを溶かしてしまえるほど、強くないかぎり、愛を育むことはできません。

第5節　人間関係はさとりをひらくチャンスにできる

最近では、親密な人間関係を構築できないことや、過去の人間関係で味わったつらい経験をくりかえしたくないという理由から、独身主義を貫く人や、シングルペアレントの道を選ぶ人が増えています。その一方で、対極のエネルギーとの結びつきによる、ひと時の充実感を求めて、人間関係を転々とする人たちもいます。これは、言いかえるなら、「快楽―痛み」サイクルを、相手をかえて、延々とくりかえしている、ということです。さらに、ネガティブ性のはびこる機能不全の人間関係にとどまることに甘んじている人たちもいるでしょう。理由は子供のため、身の保障、惰性、孤独になることへの恐れなどですが、これ以外にも自分にとって有利な都合があるでしょう。感情的な「ドラマ」という刺激に、自分でも気づかないうちに中毒になっているケースも考えられます。

しかし、機能不全の人間関係には、まったく別の側面があることも事実です。矛盾《むじゅん》するようですが、それはさとりをひらくチャンスでもあるのです。人間関係が、エゴ的思考を助長し、ペインボディ活動のスイッチになっているのなら（さとりをひらいていない人の場合は、これが一般的です）、そこから逃げようとするかわりに、さとりをひらくチャンスに変えてみてはいかがでしょう？ 誰かと親密な関係になるのを避けたり、「理想のパートナー」の出現が、問題解決の方法だと錯覚して、「幻」を追いつづけたりするのではなく、機能不全の人間関係を、活《い》かすのです。

すべての「悪状況」は、同時にさとりのチャンスでもあるのです。「すでにそうであるもの」をすべて、完全に受けいれることで、そのチャンスを活かすことができます。ただし、事実を否定したり、状況から逃げようとしたり、「〇〇だったらよかったのに」と、ないものねだりをしているうちは、チャンスの扉は開きません。ありがたくない状況が、そのままつづくか、さらに悪化するかのどちらかです。

「すでにそうであるもの」を、ありのままに受けいれると、いくらかは、状況から自由になれるものです。たとえば、人間関係に「不調和がある」という事実に「気づき」、その「気づき」をしっかりと胸に刻むと、「不調和がある、ということを知る」、という新しい事実が加わるため、不調和は変わらざるを得なくなります。「わたしの心の状態は、平和でない」と知ることによって、その「気づき」が、クリーンなスペースをつくり、「非・平和」を愛で包んで、「平和」に変容するのです。自分の心に直接働きかけをすることで、意識が変容されるわけではありません。パートナーや他者を変容させるのは、なおのこと不可能です。わたしたちにできるのは、変容が起きるためのスペース、慈悲《じひ》と愛がはいってくるためのスペースをつくることだけなのです。

恋愛関係が機能していないなら、喜びましょう。なぜなら、ふたりの「無意識」を明るみに出してくれたからです。それはさとりをひらく、絶好の機会なのです。自分の心の状態を観察し、その「気づき」をしっかりと胸に刻みましょう。もしそこに怒りがあるなら、怒りがあると気づきましょう。「嫉妬」、「正当化したがる気持ち」、「自己弁護」、「議論を闘わしたい衝動」、「愛に飢え、かまってもらいたいインナーチャイルド」、「感情的痛み」。——そこにあるものが、なんであっても、それが自分の中にあるという事実を認識し、その気づきをしっかりと受けとめましょう。こうすれば、人間関係は精神の修練、「サーダナ」[sadhana;ヒンドゥ語]になります。

たとえ相手が無意識な行動をしても、それに対してリアクションせずに、気づきで優しく包みこんで、受けとめます。たとえ気づきがあなたの側にしかなく、相手が無意識に行動しつづけるとしても、それにまどわされずに、気づきを保つのです。「無意識」と「気づき」は、長く共存できません。敵意と攻撃を生むエネルギーは、愛の存在に耐えられません。パートナーの無意識にわずかでも、感情的に反応してしまうと、自分自身も無意識になってしまうので、十分注意が必要です。しかし、たとえそこで反応してしまっても、「わたしは、感情的に反応している」、という事実に気づくことさえできれば、それでいいのです。

現代ほど、人間関係が不和と衝突にまみれている時は、かつてなかったでしょう。みなさんも、すでにお気づきかもしれませんが、人間関係は、わたしたちを幸福にしたり、満足させたりするためにあるのではありません。理想のパートナーを見つけて、さとりをひらこうとしているかぎり、期待はことごとく裏切られ、幻滅を味わいつづけることになります。人間関係は、わたしたちを幸福にするのではなく、わたしたちを「目覚めさせる」ためにあるのだと知っていれば、さとりをひらくチャンスにできます。幻想を追い求める人にとっては、人間関係はさらなる痛み、暴力、軋轢《あつれき》をこしらえるもとになります。

問い あなたが提案するように、人間関係を、意識を高めるための場にするには、相手の協力も必要ですよね。わたしのパートナーは、相変わらず嫉妬と支配欲に基づいて行動しているんです。もうなん度も彼にそう指摘しているのですが、彼にはどうしてもそれがわからず、困っています。

答え 人生を精神の修練にするために、いったいなん人の協力が必要だと思いますか？　パートナーが協力的でも、そうでなくても、そんなことは構いません。「意識の覚醒《かくせい》」は、あなた自身をとおしてこの世界に反映されるのです。さとりをひらくのに、世界や、誰かの意識が覚醒するのを待っている必要はありません。そんなことをしていたら、永遠に待ちぼうけをくうはめになるかもしれませんよ。

互いの「無意識」を、なじりあってはなりません。口論の口火を切ったとたん、思考とひとつになってしまい、思考だけでなく、「にせの自分」をも正当化しているのです。すると、エゴが主導権を握りはじめます。あなたは「無意識」になります。時に、パートナーの言動を指摘することは役立つかもしれません。あなたの意識がきちんと「いまに在る」時なら、エゴの介入ぬきで、それができるでしょう。要するに、非難、とがめ、悪者扱い、といったことをせずに、事実を指摘できるのです。

たとえ、パートナーが無意識にふるまっても、「決めつけ」は、一切してはなりません。「決めつけ」をするということは、無意識にふるまう相手を、相手の「ほんとうの姿」と混同することなのです。ただし、「決めつけをしない」ということは、機能障害や無意識な行動の存在を否定するという意味ではありません。「裁判官」にならずに、「知る人」になる、ということです。こうすれば、感情的なリアクションを一切せずにすみます。たとえリアクションをしたとしても、「知る人」であるために、自分の反応を観察し、ありのままにほうっておくことができます。闇と闘うのではなく、闇を照らす光になるのです。幻に反応せずに、幻を見つつ、幻の奥にある真実を見抜くのです。

「知る人」になることで、すべてのもの、すべての人を、あるがままに受けいれられる、愛あるクリーンなスペースをつくります。これ以上に、意識の変容に効果的な触媒はありません。あなたがこうして意識的に生きれば、あなたのパートナーは、無意識のまま、あなたと共存することができません。

カップルが両方とも、相手との交流を、精神成長のレッスンだと認識していれば、もちろんそれに越したことはありません。もしそうなら、互いに、自分の考えや感ずるところを「決めつけ」をせずに、相手に表現できるでしょう。感情や不満を表現し損ねたために、ネガティブなものが心の中でわだかまったり、ふくれあがったりすることもありません。

相手を非難せずに、自分の思いを率直に述べる術を身につけるのは、とても大切なことです。自分を正当化せずに、広い心でパートナーの話に耳を傾けることも、同じくらい大切です。こうすれば、相手にも、表現するスペースを与えられるのです。そのためには、まず「いま」に在りましょう。すると、非難、自己防衛、攻撃などの方法で「にせの自分」を防衛しようとする、エゴの出番はなくなります。自分自身はもちろん、相手にもスペースを与えることは、人間関係において不可欠です。スペースがなくては、愛は育たないのですから。

カップルの双方が、人間関係を台無しにする、致命的なふたつの原因を取りのぞければ、ふたりの関係は、至福の花を咲かせます。まず、最初の原因は、ペインボディ。これを意識に変容させなければなりません。もうひとつの原因は、思考を「ほんとうの自分」と思いこむこと。これを止めるのです。互いの痛みと無意識を、鏡のように映し合って、エゴの欲求を満たすかわりに、互いの根底にある愛を、「相手とわたしは、ひとつにつながっている」という気づきとともに、映し合うのです。これが対極の存在しない、「ほんとうの愛」です。

もしも、あなたがペインボディや思考から解放されているのに、パートナーが、まだそのレベルに達していない場合は、パートナーの側に、困難が生じます。さとりをひらいていない人にとって、さとりをひらいた人と生活するのは、ひどく苦痛なものです。さとりをひらいていない人のエゴが、危機感を察知するからです。エゴは、「すべては分離している」という考えをよりどころにして生きています。その考えを真実にしようと、いつも、口論、ドラマ、衝突に飢《う》えているのです。ところが、エゴのどんな挑発《ちょうはつ》にも、さとりをひらいた相手は、のってきません。口論、ドラマ、衝突に対するエゴの欲求が、まるで満たされないのです。相手からなんのリアクションも得られないので、エゴのかたくなな姿勢もゆらぎはじめ、そのパワーは弱まり、消滅の危機にさらされます。さとりをひらいていない人の思考にとって、これが、どれほどフラストレーションとなるか、想像できるでしょうか？

ただし、ここでみなさんに、注意をうながしておきたいことがあります。リアクションを示さない人の中には、実際は、カラに閉じこもっていたり、無神経だったり、感情を殺してしまっているだけで、「にせのさとり」をひらいている人もいるからです。この人たちは、「わたしは、間違いなくさとりをひらいている」と勝手な解釈をし、相手にも、そう信じこませようとしたりします。または、少なくとも、自分には非がなく、とがめられるべきは相手のほうだと、非難の矛先《ほこさき》を相手に向けたりするのです。

どちらかと言うと、女性よりも男性のほうが、このように行動する傾向にあるようです。男性は女性に対して、「分別がなく感情的」という見方をしがちなものですが、自分の感情をしっかり認識できている人は、そのすぐ奥にあるインナーボディを感じられるまで、あと一歩のところにいるのです。ところが主に自分の「頭」にとどまっている人は、インナーボディの手前にある感情を、まず認識する必要があり、インナーボディまでの距離は、さらに隔《へだ》たっているのです。

では、「わたしはさとりをひらいている」と思う方は、自分に正直になって答えてみましょう。心の中から、愛と喜びはわき上がってきますか？　完全に「いまに在る」ことができますか？　万物に対して心を開いていますか？　もし答えが「ノー」なら、それは「さとりをひらいている」のではありません。困難な状況や、物事が予期せぬ方向にいってしまった場合に、自分がどのように対応するかも、「試金石《しきんせき》」になります。もし自分の「さとり」が、エゴ的な思いこみなら、このような出来事に対し、恐れ、怒り、正当化、決めつけ、鬱《うつ》などの「無意識状態」を露呈《ろてい》するはずです。

自分が誰かと親密な関係にある時には、試練の多くはパートナーをつうじてやってきます。たとえば、ほとんど理性だけで生きている、カチカチ頭の男性をパートナーにしている女性は、試練を強いられるでしょう。この男性は「いまに在ない」ので、相手の話を聞くことができないからです。きっと優しさを表現せず、相手に「在る」ためのスペースも与えないでしょう。

たいていは、女性のほうが男性よりも、相手の愛情の欠如に対して敏感なものです。そのため、パートナーの無関心な態度を、ペインボディを目覚めさせる引き金にし、非難、批判、悪者扱いなどの方法で、相手を攻撃したりするのです。この攻撃が、今度はうって変わって、男性側の試練になります。彼女の攻撃（彼は、これを完全に不当なものとみなしています）から身を守るために、彼はいっそう思考にこり固まり、防衛に徹するか、反撃に出ます。このようにして、結果的に、彼も、自分自身のペインボディを目覚めさせることになります。

双方がこんな具合で、ペインボディを原動力にしてしまうと、感情の暴力、冷酷な攻撃、せめぎ合いの「重症の無意識状態」に達してしまいます。互いのペインボディの欲求が満たされると、状態は一時的に沈静化し、ペインボディは「休止状態」にはいります。とりあえず、次回までは「休戦」ということです。

これは無数にあり得る架空のシナリオの、ほんの一例にすぎません。男女関係における「無意識状態」が引き起こすパターンについては、すでにおびただしい数の本が著され、それでも、なお多くのものを書くことができるでしょう。しかし、すでにご説明したように、「機能不全の原因」さえ理解できていれば、数え切れないほどの具体例を考察する必要はないのです。

ではここで、わたしが例に挙げたシナリオに、もう一度戻ってみましょう。どんな試練も、実際は「さとりをひらくチャンス」が姿を変えたものなのです。機能不全が進行していく過程の、どの段階でも、無意識状態から脱け出し、さとりをひらくことが可能なのです。たとえば、女性から攻撃を受けている男性は、いっそう思考にこり固まり、「無意識状態」を悪化させるのではなく、思考の呪縛をふりほどいて、「いまに在る」ためのきっかけにすればいいのです。女性の側は、男性の無関心な態度を、痛みをこしらえて、ペインボディを目覚めさせる動機にするのではなく、自分の感情や痛みを観察して、「いまに在る」ようにするチャンスにすればいいのです。こうして「いまのパワー」を使えることができれば、痛みは意識に変わります。痛みを反射的に外界に投影させるパターンを取りのぞくこともできます。

カップルがこのような意識のあり方を選ぶなら、互いに、自分の素直な気持ちを、とりみだしたりせずに、伝えることができるでしょう。もちろん、相手がそれに耳を傾けるという保証はありませんが、相手も「いまに在る」意識にシフトできる絶好のチャンスを与えることになります。少なくとも、エゴ的思考に基づいて無意識に行動するという、悪循環の環《わ》を断ち切ることは間違いありません。

もしカップルのひとりが、一貫して、もしくはたいてい、「いま」に在り、もうひとりが「無意識」に生きているなら、無意識なほうは、つらい目にあいます。無意識な人が、「無意識」のままで、意識的に生きている人のそばにいるのは、耐えがたいことです。もしその人も意識的に生きる準備ができているなら、相手の開けてくれたドアからはいり、意識的に生きる仲間いりをするでしょう。しかし、もし、準備ができていないなら、相手とは、水と油のように分離してしまいます。暗闇にとどまりたい人にとって、光のまばゆさはつらく、痛いほどなのです。

第6節　女性のほうがさとりをひらきやすい？

問い　さとりをひらくことの障害は、男女間で違いはありますか？

答え　いいえ、違いはありません。ただし、それぞれ特徴は異なります。一般的に言って、女性のほうが、自分のからだを感じ、その中に住まうことを、得意としています。女性のほうが、生まれつき「大いなる存在」に近く、男性よりもさとりをひらく可能性は高いのです。

古代人の多くが、「すべてを超越した、かたちのない実体」を表現するのに、直感的に、女性の人物像をシンボルに選んでいるのには、このような背景があるからでしょう。彼らは、「すべてを超越した、かたちのない実体」を、「宇宙の子宮」とみなしています。それは、万物を誕生させ、個々がかたちをまとってこの世にいるあいだに、栄養を与え、その生命を維持しているからです。

現存する書物の中で歴史が古く、深遠なことで知られる「道徳経」［タオ・テ・チン；Tao Te Ching］は、「タオ」（「タオ」を「大いなる存在」と解釈して差しつかえないでしょう）を、「無限で、永久に存在する、宇宙の母」と表現しています。女性は出産という経験によって、実質的に「大いなる存在」を体現しているのですから、男性よりも「大いなる存在」に近いところにいるのは、当然と言えます。
　また、あらゆる創造物は、いずれ「大いなる存在」へと回帰する運命にあります。このことを道徳経は、「万物はタオの中に消えてゆく。タオのみが永遠に生きる」と表現しています。この表現は、心理学と神話の中の、典型的な女性の二面性を象徴しています。その二面性とは、「光と闇」、または、生命を与え、生命を奪い去ることです。これで、昔の人たちが、タオまたは、「大いなる存在」を、男性ではなく、女性とみなしていたのにも、納得がいくのではないでしょうか。

　人間が思考に支配され、神の本質から遠ざかるにつれて、神を「男性神」と考えるようになりました。社会は男性優位となり、女性は男性に従属する立場を強いられるようになったのです。

　誤解のないようおことわりしておきますが、わたしはなにも、「古代に帰ろう」、「女性神を復活させよう」と、みなさんに呼びかけているわけではありません。近頃では、神ではなく、「女神」という表現を使う人たちも、増えはじめました。たぶんこの人たちは、はるか昔に失われてしまった、男女間のバランスを、とりもどそうとしているのですから、それはそれで好ましい傾向と言えます。しかし、呼称の変更も、ちょうど地図や標識がいっとき便利なのと同じで、「大いなる存在」を、「かたちやイメージを超えた実体」ととらえることができる人にとっては、助けというよりは、むしろ足かせになってしまう可能性があります。
　ひとつたしかなことは、思考力というものが、いつの時代も男性的であるということです。思考は抵抗し、闘い、利用し、操り、攻撃し、奪い、支配し、所有しようとします。伝統的な神のイメージは、ちょうど旧約聖書にあるとおり、権力を持つ支配的な人物であり、みながその存在におびえなければならない、怒りっぽい男性というものです。この神の特徴は、人間の思考の特徴と、ピッタリ符合します。

思考から解放され、その奥にある実体、「大いなる存在」とふたたびつながるためには、いま挙げた特徴とは、正反対のものが必要になります。――手放すこと。決めつけをしないこと。人生に抵抗しないこと。すべてをあるがままに受けいれること。万物《ばんぶつ》を愛で包みこむ包容力。――これらの性質は、男性というよりは、女性の性質に関連しています。思考のエネルギーは、固くこわばっています。「いまに在る」エネルギーは、しなやかで柔軟性があると同時に、思考力とは比べものにならないくらい、パワフルです。

思考が、この現代文明をつくりだしています。「大いなる存在」のほうは、地球上のみならず、それを超えるレベルの、あらゆる生命を司《つかさど》っています。「大いなる存在」は、「インテリジェンス」そのものであり、それが目に見えるかたちで現われたものが、この物質界なのです。女性のほうが、生来的には、「大いなる存在」に近いものの、男性も自分自身の内面をとおして、「大いなる存在」につながることは、十分に可能です。

現時点では、男女を問わず、まだ大多数が思考優勢の生き方をしており、思考やペインボディを「ほんとうの自分」だと思いこんでいます。言うまでもなく、これこそが、さとりをひらくことや、愛の成長を、妨げているのです。概《がい》して、男性の場合には、さとりの障害は、思考にこり固まってしまう傾向にあることで、女性の場合は、ペインボディです。もちろん例外もあり、まったく逆のケースやふたつの要因が、混じり合って障害になっていることもあります。

第7節　女性の「集合的ペインボディ」を溶かそう

問い　どうして男性よりも女性にとって、ペインボディが障害になりやすいのですか?

答え　ペインボディには、集合的なものと個人的なものの、ふたつがあります。個人的なものは、各人が過去に被った感情的な傷のかすが、心に積もっていったものです。集合的なものは、過去数千年以上にわたって、疾病、拷問、戦争、殺人などによって、人間の集合心理に積もっていった痛みです。すべての人のペインボディが、この「集合的ペインボディ」を形成しています。

「集合的ペインボディ」は、さまざまな種類の糸で縒《よ》られた一本のロープのようなもの、とイメージすればわかりやすいかもしれません。たとえば、波乱に満ちた歴史を持つ人種や国家は、それ以外の国や人種に比べ、いっそう深刻な「集合的ペインボディ」を織りなしています。

重症のペインボディを抱え、無意識に生きているために、ペインボディを自分と切りはなせていない人は、持続的、または定期的に、感情的な痛みを味わうことになります。ペインボディにも能動的、受動的のふたつのタイプがあり、自分のペインボディがどちらに属するかによって、いとも簡単に暴力の加害者か、被害者になってしまうのです。

しかし、重症のペインボディを抱える人たちが、逆に潜在的には、さとりにとても近いところにいることもあります。その可能性が、必ず活かされるとはかぎりませんが、悪夢の渦中にいる人は、ごく普通の夢の浮き沈みを経験している人よりも、余計にそこから目覚めようと奮起するものだからです。

さとりをひらいている場合は別として、女性はみんな、個人的なペインボディ以外にも女性特有の「集合的ペインボディ」を共有しています。このペインボディは、長い歴史の中で女性が被った痛みが、蓄積されていったものです。痛みは男性による征服や、奴隷《どれい》扱い、搾取《さくしゅ》、レイプ、さらに、出産、子を失うといった経験によるものです。多くの女性が月経の周期と一致して、または、それに先立って感情的になったり、肉体的な痛みを経験したりするのは、その時期に集合的ペインボディと共鳴してしまうからです。ただし、月経時以外にも、集合的ペインボディとつながってしまうこともあります。ペインボディが目覚めると、からだの生命エネルギーは、自由に流れなくなってしまいます。女性のみなさんは、この事実を、さとりをひらくためのステップにするために、しばらくのあいだ、かみしめてみてはいかがでしょうか。

多くの女性は、月経時にペインボディに支配されてしまいます。ペインボディは、本人に気づかせることなく、いとも簡単に引きずりこまれてしまうほど、強力なエネルギーを持っています。ペインボディとひとつになってしまう人は、いつのまにかペインボディに身をゆだねてしまうのです。その人は、ペインボディをとおして考え、話し、行動してしまうのです。ペインボディは、「栄養」をとるために、ネガティブな状況をつくりだすことに、せっせと励んでいます。ペインボディはどんなかたちでもかまわないので、さらなる痛みを欲しているのです。このプロセスについては、すでに述べたとおりです。ペインボディはとても狡猾《こうかつ》で自滅的です。それは、過去の出来事による痛みであり、もちろん「ほんとうの自分」ではありません。

さとりまで、もう一歩と迫っている女性の数は、男性の数を上回っており、今後もその数は着実に増加していくでしょう。最終的には、さとりをひらく男性の数が女性の数に追いつくかもしれませんが、男性と女性の意識レベルにギャップがある状態は、これからもかなり長いことつづくようです。女性は生得的な権利を徐々にとりもどしつつあるので、「目に見える世界」と「目に見えない世界」、すなわち「物質」と「精神」の橋渡しが、男性よりも自然にできるのです。

女性にとって、現時点での主な役目は、ペインボディを「ほんとうの自分」と思いこむのをやめて、ペインボディを溶かしてしまうことです。さとりをひらくには、もうひとつの障害である、思考にもとりくむ必要がありますが、ペインボディを溶かす時に発する、強力な「いまのパワー」が、思考からの解放をも、スムーズにするでしょう。

なにをおいても肝《きも》に銘《めい》ずべきことは、「痛みを『ほんとうの自分』だと思いこんでいるかぎり、痛みから解放されない」ということです。つまり、「自分」というものを定義づける際に、わずかでも、過去に被った心の傷を要素にしているあいだは、痛みを癒せるチャンスを、台無しにしているのです。なぜでしょうか？　理由は単純明快です。なにひとつ失わずに、自分をそのままの状態にしておきたいという心理が働くため、痛みでさえも、手放したくなくなるのです。これは無意識のプロセスなので、克服する唯一の方法は、その事実に「気づく」ことです。自分が痛みにしがみついているという事実に、気づくというのは、雷にでも打たれるような、ショッキングな経験です。この事実に、心の底から気づいた瞬間、わたしたちは、自分と痛みをつないでいる鎖を断ち切れるのです。

ペインボディは、一時的に内面に居座ってしまった、自由に流れず、滞留してしまった生命エネルギーです。ペインボディは、過去のなんらかの経験によるものであり、その人の中で生きつづけている過去なのです。

つまり、ペインボディをアイデンティティにすることは、過去をアイデンティティにすることを意味します。「わたしは、被害者です」というアイデンティティは、「『いま』よりも、過去のほうがパワーを持っている」という信念に基づいています。ということは、他者や、他者のしたことが、現在の自分の、感情的痛みの原因であり、「ほんとうの自分」でいられないことに責任を負っていると信じていることになります。しかし、これは真実ではありません。「唯一のパワーは『いま、この瞬間』以外には存在しない」というのが、事実なのです。唯一のパワーは、「いまに在る」ことで生まれるパワーです。いったんこの事実をのみこめたら、現在の自分の心のあり方に責任があるのは、自分自身であり、ほかの誰でもないということがわかるはずです。さらに、過去は「いまのパワー」に歯が立たないということもわかるでしょう。

もう、おわかりでしょう。痛みを自分の一部にしてしまうことが、ペインボディを取りのぞくのを妨げているのです。女性の中には、個人的ペインボディを溶かせるほど、意識のレベルが高まっていながらも、集合的ペインボディ（女性が男性から受けた仕打ち）には、まだしがみついている人がいます。それはある意味では正しく、ある意味では間違っています。女性の「集合的ペインボディ」が、数千年間にわたって、男性が女性に対しておこなってきた暴力と、女性の本質の抑圧によるものであるということは事実ですから、その点では正しいのです。しかし、これが事実であるからと言って、ペインボディでアイデンティティを確立し、「犠牲者アイデンティティ」の檻《おり》に自分を閉じこめているとしたら、それは賢明ではありません。怒り、憤怒《ふんぬ》、非難を抱きつづけている女性は、ペインボディにしがみついているのと同じです。こうすれば、女性は居心地のいいアイデンティティを持つことができ、ほかの女性との連帯感も得られますが、過去に自分をしばりつけ、「ほんとうの自分」のパワーをフルに発揮するのを、妨げてしまいます。

また、人生から男性を排除しようとするのも、得策ではありません。そうすると、「すべては分離している」という意識をますます助長し、エゴを肥大化させる結果を招くからです。エゴが強ければ強いほど、「ほんとうの自分」からいっそう遠くはなれていることを意味します。

ですから、ペインボディをアイデンティティに使ってはなりません。かわりに、さとりをひらくために、利用しましょう。ペインボディを意識に変容させましょう。女性がこれを実行するのに、最適なチャンスは月経時です。これから数年後には、月経時に意識が覚醒する女性が増えていくだろうと、わたしは確信しています。

この時期には、女性の大半は、集合的ペインボディに支配されているために、無意識状態になってしまうのが普通です。しかし、意識の覚醒が、あるレベルに達した時点で、女性はこのパターンを逆転させることができるのです。無意識状態になるのではなく、よりいっそう意識が覚醒するのです。基本的なプロセスについてはすでに説明しましたが、ここでもう一度おさらいしてみましょう。ここでは特に、女性の「ペインボディ」に焦点を当てます。

月経が近づいてきたら、いわゆる「生理前症候群」の兆候が表われてしまうまえに、「ペインボディ」が目を覚まさないか、きちんと見張り、できるかぎり完全に「からだに住まう」のです。ペインボディが目を覚ました時に、それを捕まえるには、油断せず、しっかりと「いまに在る」必要があります。最初の兆候は、理由もなくイライラする気持ちや、カッとなる気持ち、または、身体的症状だけかもしれません。それがなんであれ、思考や言動をコントロールされてしまう前に、「捕《つか》まえる」のです。「捕まえる」というのは、ここでは、意識のスポットライトを当てることを意味します。

ペインボディが感情的なものなら、その奥にある強いエネルギーを感じましょう。ペインボディを、それと認識してください。「在る」パワーに照らされた感情は、すぐに静まり、意識に変容します。ペインボディがからだの症状なら、しっかりと認識することによって、感情や思考に変化するのを防ぎます。

きちんと目を覚ましつづけ、ペインボディの次のシグナルを待ちます。兆候が表われたら、もう一度、いまの要領で捕まえます。ペインボディがフルに目覚める時には、数日間にわたって、心が「荒れ模様」になることもあるでしょう。ペインボディが、どのようなかたちで表われようと、じっと「いまに在る」状態を保つのです。ペインボディに意識を集中させましょう。自分の内面の「嵐」を観察しましょう。「嵐」がそこにあるということを、知りましょう。その「気づき」を、しっかりと胸に刻みましょう。ペインボディに心を占領され、思考をコントロールされてはなりません。ペインボディを観察しましょう。自分のからだの内面にある、ペインボディのエネルギーをじかに感じましょう。一〇〇パーセント意識を向けるということは、完全に受けいれることを意味します。持続的に意識を向けていれば、ペインボディは変容されます。「ペインボディ」は、輝く意識に変わるのです。ちょうど、炎の中にほうりこまれた薪が、それ自身、炎に変わるのと同じです。「ペインボディ」を意識に変えた女性にとって、月経は女性であることの喜びの表現になるだけでなく、新しい意識に息吹《いぶき》を与える、神聖な時に変わります。すると、女性としての面と、性別を超えた神という面の、両面において、その人の本質が、輝きはじめます。

十分に意識の覚醒した男性パートナーなら、強烈に「在るパワー」の波動を維持することで、月経時の女性をサポートしてあげられるはずです。たとえ、女性の側が、無意識のうちにペインボディとひとつになって行動してしまっても（慣れないうちは、おちいりがちな落とし穴です）、男性のほうがしっかりと「いま」に在りつづければ、女性もたやすく「在る」状態に戻れるようになります。ペインボディに一時的に主導権をにぎられても、意識の覚醒した男性パートナーなら、それを相手の「ほんとうの姿」と誤解したりしません。たとえペインボディが彼を攻撃しても（おそらくそうするでしょう）、彼はペインボディを相手にリアクションをしたり、カラに閉じこもったり、自己防衛したりしません。彼は強く「いま」に在りつづけられるでしょう。

「ペインボディ」の変容に必要なものは、ほかになにひとつありません。もし男性パートナーが「ほんとうの自分」を見失ってしまった場合には、女性パートナーが同じようにして、サポートすることもできます。彼が思考とひとつになってしまったら、彼の意識を「ここ」と「いま」に連れ戻して、思考から解放してあげればいいのです。

こうすれば、純粋で高波動のエネルギーが、カップルの周りを、とりかこむことになります。この空間には、幻想、痛み、衝突、「ほんとうの自分でないもの」、「愛でないもの」は、侵入してくることができません。これは、カップルが個人レベルの目的を超えた、神性の目的を達成したことを意味しています。カップルは、高い意識のエネルギーの「うず巻き」をつくり、たくさんの人たちをも、このうず巻きに引きよせていくのです。

第8節　「わたし自身」と関係をきずくこと

問い　ほんとうのさとりをひらいた人でも、まだロマンティックなパートナーを必要とするのでしょうか？　さとりをひらいた男性は、女性に魅力を感じるものなんでしょうか？　さとりをひらいた女性は、男性のパートナーがいないと、満たされないと感じるものなんですか？

答え　さとりをひらいていても、いなくても、わたしたちは、男性か女性のいずれかですから、「かたち」のレベルでは不完全です。わたしたちは、いわば「一個のりんごの半分」なんですから。意識レベルがどんなに高かろうと、かたちのうえで不完全であることが、異性に惹《ひ》かれる、というかたちで表われます。しかし、「大いなる存在」にしっかりつながった人は、この異性に対する「引力」を、人生の中心ではなく、表面的な部分で感じます。

さとりをひらいた人にとっては、どんな出来事も、そんな風に感じられるものです。この世界で起こることはみんな、広大で果てしない大洋に起こる「さざ波」のように思えるのです。自分自身が、大洋であると同時に、さざ波でもあります。さざ波は、大洋の一部にすぎないことや、大洋の果てしなさや深さに比べれば、さざ波はそれほど重要でないことも、きちんとわかっているのです。

ただし、これは、さとりをひらいた人が、パートナーを含め、人とのつきあい方が浅くなるということではありません。逆に、さとりをひらいていなければ、他者と深く交流することができないのです。「大いなる存在」を起点にしてはじめて、かたちというヴェールの奥の真実を認識できるからです。「大いなる存在」の次元では、男性と女性はひとつです。さとりをひらいていても、「かたち」としてのわたしたちは、なにかを必要とするかもしれませんが、「大いなる存在」は、なにも必要としません。「大いなる存在」は、すでに完全無欠です。もし、うまい具合に、自分の必要が満たされることがあったら、それはそれで結構なことですが、必要が満たされるか否かは、さとりをひらいた人の心の状態に、なんら変化を及ぼしません。たとえば、パートナーがいなかったら、表面的には「不完全」という感覚を持っているかもしれませんが、内面では一〇〇パーセント満たされ、平和な状態にあるものです。

問い　同性愛者であることは、さとりをひらくうえで、有利だったり、逆に障害になったりするんですか？　それとも異性愛者と変わりませんか？

答え　同性愛者は、成長するにしたがって、自分のセクシュアリティが「みんなと違う」と気づき、社会の枠にはまった思考と行動様式を、捨て去ってしまうかもしれません。そうすると、結果的に、なんの疑問も持たずに、因習的なパターンをそっくり受けついでしまう「無意識に生きている多数派」よりも、高い意識レベルを持つことになるでしょう。

こういった観点からすれば、同性愛者であることは、本人にとって強みになります。どんな事情があるにしても、多数派に溶けこめない、拒絶されるなどの、「異端者」になってしまうと、人生は険しくなってしまいますが、「さとりをひらくこと」にかぎって言えば、それは、かえって有利なことです。そのような状況は、「力ずく」で、本人を無意識状態から引っぱり出してくれるからです。

ただし、自分が同性愛者であることに基づいて、アイデンティティを形成するなら、ひとつの落とし穴を避けようとして、別の落とし穴にはまってしまうことになります。「同性愛者のわたし」というイメージに基づいて、役割を演じ、ゲームをすることになるからです。こうなると、もはや「ほんとうの自分」ではなくなり、「無意識状態」になります。エゴという仮面の奥に、「不幸な自分」がいます。これがその人の心のあり方だとすると、同性愛者であることは、足かせになっています。しかし、チャンスは、いつもすぐそこにあります。痛烈な不幸は、最高の「さとりのチャンス」になり得るからです。

問い　パートナーと満ち足りた関係をきずくには、まず「自分自身」と良好な関係を構築し、自分を愛することが大前提である、という考え方は理にかなっていますよね。

答え　ひとりでいる時に、自分自身と一緒にいて心地よくない人は、自分の不安をおおいかくすために、人とのつながりを求めるようになります。そうすると、交流するうちに、不安がなんらかのかたちで表面化してくるようになります。しかも、大抵は、それを相手のせいにするものです。

わたしたちに、ほんとうに必要なものは、「いま、この瞬間」を、心から受けいれることです。そうすれば、自分がいる「いま」と「ここ」に心地よさを覚え、自分自身でいることにも、気持ちよく思えるのです。

しかし、わたしたちには、ほんとうに「自分自身」との関係をきずく必要があるでしょうか？　もっとシンプルに、「自分自身のままでいる」ことはできませんか？　自分自身と関係を結ぶとなると、自分を「わたしとわたし自身」、または「主体と客体」というふたつに分裂させているのです。思考がつくるこの二元性が、ムダなややこしさ、問題、衝突を生む温床なのです。

さとりをひらいていると、「自分」と「自分自身」はイコールであり、そのふたつはひとつに溶け合っています。自分は自分自身に決めつけをしません。自分自身を哀れんだりしません。自分自身を誇りに思ったりしません。自分自身を愛したりしません。自分自身を憎んだりしません。自己省察型の意識がつくる亀裂はなくなります。保護し、防衛し、養わなければならない「自分自身」は存在しません。さとりをひらいたなら、「わたしとわたし自身との関係」という、余計な関係をきずく必要はありません。それを手放すと、すべての関係は「愛の関係」に変わります。

第9章

「心の平安」は幸福と不幸を超えたところにある

第1節 「良い」「悪い」を超えた至高の善

問い 幸福と心の平安には、違いがあるんですか?

答え はい。幸福は「ポジティブ」と称される状況に依存しています。心の平安は、なにものにも左右されません。

問い 人生に、ポジティブな状況だけを引きよせることはできるんでしょうか? 思考や言動が常にポジティブな人には、ポジティブな出来事だけが起こるしくみになっているのではないでしょうか?

答え まず、質問させてください。いったいなにがポジティブで、なにがネガティブなのか、あなたはほんとうにわかっていると、断言できますか? あなたには、全体像が見えていますか? 挫折《ざせつ》、喪失、病気、苦痛などが、最終的には自分にとって「もっとも偉大な教師」であった、と語る人は、数え切れません。こういった一見ネガティブなものは、「にせの自分」や、エゴの薄っぺらなゴールや欲望を、わたしたちに手放させ、かわりに人間としての深み、謙虚さ、思いやる心を教えてくれるものです。人間を、より人間らしくする栄養のようなものです。

一般にネガティブと称される出来事には、深遠なレッスンが含まれているものです。ただ出来事が起こった時点では、私たちは、それに気づきません。軽い病気や事故でさえ、なにが真実で、なにがいつわりなのか、なにが自分にとって究極的に大切で、なにがそうでないかを示す「しるべ」になることがあるものです。

より高い視点からながめれば、出来事はみんなポジティブなんです。さらに正確な表現をするなら、出来事は、どれもみんな、ポジティブでもネガティブでもありません。すべては「あるがまま」です。すべてをあるがままに受けいれて生きるなら（これこそが「心の平安」を保てる唯一の生き方なのですが）人生には「良いこと」も「悪いこと」も、存在しなくなります。存在するのはわたしたちが「悪」と呼ぶものを含む「至高の善」だけです。

ところが、思考は「良い―悪い」「好き―嫌い」「愛―憎しみ」を、つくらずにはいられません。「アダムとイブは、『善悪の知恵を授ける木の実』を食べたために、もはや『天国』に住むことができなくなりました」という創世記の記述は、まさにこの「思考の決めつけ」のことを言っているのです。

問い　あなたのおっしゃることは、事実を事実とも認めようとしないで、自分を欺《あざむ》くことのように聞こえます。事故、病気、痛み、死などの悲惨な出来事が、自分や愛する人にふりかかっても、悪いことでないというふりをすることはできます。でも「悪いこと」は、やっぱり「悪いこと」ですよ。なぜ、事実を否定するのですか？

答え　わたしが言っていることは、自分をいつわることでもなければ、ふりをすることでもありません。「すべてを、あるがままに受けいれる」、ただそれだけのことです。すべてをあるがままに受けいれると、物事をポジティブ極とネガティブ極に分類しなくなります。これが、「許し」には、不可欠な要素です。

現在を許すことは、過去を許すことよりも、ずっと大切です。すべての瞬間を、あるがままに受けいれて許さないと、憤《いきどお》りなどのネガティブ性が、心の中で雪だるま式に大きくなってしまい、あとになってから、いっぺんにそれを許さなければならなくなってしまいます。

念のためにことわっておきますが、わたしはここで、幸福についてお話ししているのではありません。たとえば、愛する人がこの世を去った時、または、自分の死期が近いと知った時、人は幸福ではいられません。それは不可能です。しかし、「心の平安」を保つことは可能です。そこには、悲しみや涙があるかもしれませんが、心の抵抗がないなら、悲しみの奥に、平和、静けさ、神聖さを感じるでしょう。これが「大いなる存在」からわき上がる、「うちなる平和」であり、対極のない「至高の善」なのです。

問い　なにか策を講じることで、改善できるような状況だったら、どうするのですか？　状況を「あるがままに受けいれる」と言っておきながら、なおかつそれを「変えよう」とするのは、矛盾していませんか？

答え　できることはすべてしなさい。それと同時に、「すでにそうであるもの」を受けいれるのです。

思考と抵抗は同意語ですから、事実を受けいれた時点で、思考から解放され、「大いなる存在」と、ひとつにつながることができます。するとエゴは、恐れ、強欲、コントロールなどの、「にせの自分」の防衛と助長ができません。思考よりはるかに偉大な、「インテリジェンス」がコントロールの座に就《つ》き、エゴ的意識とは、まったく別の意識が、行動に反映されるようになります。

「あなたの運命に織りこまれた模様は、たとえどんなものでも、受けいれなさい。それ以上にあなたの必要に、ぴったり適合したものはないからです」――これは、いまから二千年前に、権力と知恵の両方を兼ね備えていた非常に稀《まれ》な人物、マルクス・アウレリウス［古代ローマ皇帝、哲学者］の言葉です。

大半の人は、相当な苦しみを経験するまでは、すべてを受けいれる境地にはならないようです。いったん「許し」をおこなうと、途方もない奇跡が起こります。「悪いこと」と呼ばれる出来事をとおして、「大いなる存在」とひとつになるのです。つまり、苦しみが心の平安に一変するという、大逆転が起こるのです。世界にはびこる「悪いこと」と苦しみの、究極の目的は、名前とかたちを超えた、「ほんとうの自分」への気づきへと、人間を導くことなのです。

このように視点を変えれば、わたしたちが限られた見解で、「悪いこと」とみなすものは、実際には対極のない「至高の善」の一部であることがわかります。ただし、「許し」をおこなわない人にとって、これは真実にはなりません。許しがおこなわれないかぎり、「悪いこと」は救われず、「悪いこと」のままでありつづけるのです。

「過去は、究極的には現実ではない」と認識して、「いま、この瞬間」を、あるがままに受けいれることが「許し」です。これをおこなうと、心に奇跡的な変容が起こるだけでなく、外界にも変化が起こります。強烈に「いまに在《あ》る」と、心に平和をもたらすだけでなく、外界にも平和が生まれるのです。「いまに在る」意識がつくるエネルギーの場にはいった人やものは、すべてその影響を受けずにはいられないからです。変化が即座に、目に見えて起こることもあれば、より深いレベルで作用し、視覚的な変化は、時間がたってから現われることもあります。強烈に「いま」に在り、その波動を維持するだけで、直接的にはなにも手をくださなくても、不調和を溶かし、痛みを癒し、無意識を追い払えるのです。

第2節　すべてを「あるがまま」に受けいれれば、人生の「ドラマ」は終わる

問い　すべてをあるがままに受けいれ、「心の平安」を維持している人の人生にも、一般的な意味合いでの「悪いこと」は起こるものなんですか?

答え　人生で起こる、いわゆる「悪いこと」のほとんどは、「無意識に生きている」ことから生じています。すなわち、「悪いこと」は自分自身でこしらえているのです。むしろ、エゴがこしらえている、と言ったほうが正確ですね。この「悪いこと」を表現するのに、わたしは時に、「ドラマ」という言い方をします。意識が完全に目覚めている人の人生には、もう「ドラマ」はつくりだされることはありま

せん。エゴがどんな風に機能して、ドラマをこしらえているか、ここでもう一度、ざっとおさらいしましょうか。

エゴは、わたしたちが思考を観察していない時、つまり「いまに在《い》ない」時、人生をコントロールしてしまう、野放し状態の思考です。エゴは、「わたしは、ほかの存在とは独立していて、敵だらけの世界で孤立している、『かけら』である」と、考えています。エゴは、自分の目的のために、他のエゴを利用しようとたくらんでいることもあります。エゴの基本的な機能は、根深い恐れと欠乏の感覚と闘うことです。そのための典型的な習性は、抵抗、コントロール、支配、強欲、防衛、攻撃です。エゴの計略の中には、とても巧妙なものもありますが、エゴ自身が問題の根本原因であるため、それらは、解決策にはなりません。

複数のエゴがより集まると、それが個人的な関係なのか、社会的な関係であるかによらず、遅かれ早かれ「悪いこと」が起こります。衝突、問題、権力争い、感情的または身体的暴力などのかたちの、「ドラマ」がつくりだされるのです。戦争、大量殺戮《さつりく》、などの集合的な「悪」も、ドラマに数えられます。どんなドラマも、「無意識な人間」が集まってしまったことが原因です。

実は、ほとんどの病気も、エゴの執拗《しつよう》な抵抗が、からだのエネルギーの流れを抑制したり、せき止めたりすることから生まれているのです。「大いなる存在」とひとつにつながり、思考にコントロールされていないなら、もうこのような「悪」をこしらえることはありません。もう自分からドラマをつくったり、演じたりしないのです。

複数のエゴによって、ドラマはつくられるわけですが、それなら、ひとりっきりなら、大丈夫かというと、そういうわけにもいきません。ひとりで生活していても、自分自身のドラマというものをこしらえてしまうからです。自分を哀《あわ》れんだりしたら、それがすでに一種のドラマなのです。罪悪感や不安も同じことです。過去や未来にとらわれ、「いま、この瞬間」をないがしろにしてしまうと、「心理的時間」をつくっていることになりますが、この「心理的時間」こそが、ドラマをつくる「原料」なんです。現在の瞬間を貴ばず、ありのままに受けいれていない時には、必然的にドラマをつくりだしています。

たいていの人は、自分独自のドラマを愛しているものです。ドラマのストーリーこそが、自分のアイデンティティになっているからです。このような場合は、エゴがその人の人生の舵取《かじと》りをしています。エゴが本人になりかわって、人生設計をしているのです。その人たちがもっとも恐れ、もっとも抵抗しているのは、ドラマが幕を閉じてしまうことです。つまり、エゴとひとつになっている人が、一番恐れていることは、「さとりをひらくこと」なのです。

「すでにそうであるもの」を、一〇〇パーセント受けいれて生きると、人生の「ドラマ」はすべて終わります。誰がどんなにがんばってみても、この境地にある人とは、口論が成り立ちません。その人と口論することは、不可能なのです。口論すること自体が、思考をアイデンティティの一部にしていること、「すでにそうであるもの」に抵抗していることの表われだからです。口論すると、対立するエゴは、互いのエゴ的エネルギーを増幅させてしまいます。これが無意識のメカニズムです。

「すでにそうであるもの」を受けいれている人は、自分の論点をはっきりと主張しても、防衛や攻撃といった感情的リアクションをしません。ですから、ドラマには、なり得ないのです。意識がきちんと目覚めている人は、衝突の中に身をおくことをしません。『ほんとうの自分』と完全にひとつになった人は、衝突について考えることすらできない」と、既述の書「奇跡のコース」は述べています。これは他者との衝突のみならず、自分の心の状態についての真理でもあります。思考が要求や期待を抱かず、現実と期待のあいだにギャップがなくなったとき、心の葛藤《かっとう》も解消されます。

第3節　人生は永遠にうつり変わるもの

さとりをひらいても、物質界に生きているあいだは、人間の集合心理につながっているために、肉体的な痛みを持ってしまうこともあります。これはかなり稀《まれ》なことではありますが、可能性は否定できません。ただし、これは、感情的な痛みである「苦しみ」とは違います。苦しみはすべて、エゴがこしらえたもので、「すでにそうであるもの」に対する、心の抵抗が原因です。また、物質界で生きているかぎり、万物の周期的な性質と、永遠でないという法則に左右されていますが、さとりをひらいた人は、これを「悪いこと」とみなしたりしません。それも「あるがまま」なのです。

万物をあるがままに受けいれると、二元性の奥にある「永遠の存在」、「心の平安」、「なにものにも依存しない、善悪を超越した喜び」を感じるようになります。これが「いまに在る」喜び、「神の平和」なのです。

物質界では、「生と死」、「創造と破壊」、「成長と衰退」があるように見えます。これは、いたるところで見られます。星、肉体、木々、花々、国家、政治システム、文明。さらに、わたしたちの人生においても、避けられない、獲得と喪失のサイクルがあります。

たくさんのものが自分のもとに集まり、豊かになる上昇のサイクルもあれば、ものが衰え、失われていく下降のサイクルもあります。下降のサイクルの時には、新しいものが誕生するスペースをつくるために、もしくは変容が起こるために、ものを手放さなければならなくなります。その時点で、ものにしがみつき、状況に抵抗すると、人生の流れに逆らっていることになり、苦しみが生まれます。

思考は、上昇のサイクルが良くて、下降のサイクルが悪と決めてかかりますが、これは真実ではありません。成長は一般に良いことだとみなされていますが、なにものも、永遠に成長しつづけないのが、自然の節理です。どんなものでも、度を越して成長しつづけると、最終的にはモンスターと化し、破壊的になります。新たな成長のためには、衰退が必要なのです。衰退の存在なしに、成長だけが進むことは不可能なのです。

下降のサイクルは、意識の進化のためには不可欠です。人はなにかで徹底的に敗北を喫するか、極度の喪失か痛みを経験しなければ、魂の世界には引きよせられないからです。また、ほかならぬ成功が、本人にむなしさをもたらし、結果的に敗北に転じてしまうこともあるでしょう。あらゆる成功は失敗を内包し、あらゆる失敗は成功を内包しているのです。この世では、もしくは「かたちある世界」では、誰もが「敗北」します。成功はみんな、いずれ無に帰するのです。かたちあるものは、すべて生生流転《せいせいるてん》の宿命にあるからです。

なにかを実現させたり、創造したりすることを楽しむのは、大いに結構です。ただ、かたちあるもので、自分を定義づけることや、自分に存在価値を与える目的で、なにかを求めることが間違いのはじまりなのです。出来事やものは、人生ではありません。あくまでも「人生の状況」にすぎないのです。

わたしたちのからだにもリズムがあります。からだは、いつも絶好調というわけにはいきません。エネルギーレベルが、高い時もあれば低い時もあります。活動力や創造性が旺盛《おうせい》な時もあれば、なにひとつうまくいかず、すべてにおいて行きづまってしまうように思える時もあるでしょう。

ひとつのサイクルの期間は、数時間から数年間に及びます。大きなサイクルの中には、さらに小さな複数のサイクルがあります。病気のほとんどは、わたしたちに不可欠な、低いエネルギーのサイクルに抵抗することによって、生じています。思考とひとつになっているかぎり、外的な要素で、自分の存在価値を決める傾向から逃れられませんが、このような考え方が、衰退のサイクルを受けいれるのを困難に、または不可能にしているのです。そこで、からだの知能が、本人の抵抗をストップさせるために、自己防衛手段として、病気をつくりだすのです。

宇宙の周期的な性格、「うつろいやすさ」は、万物《ばんぶつ》と状況に反映されています。ブッダはこの事実を、彼の教えの中心に据《す》えました。すべての状況は、非常に不安定で、たえず変化しています。もしくは、ブッダの表現を借りると、このようになるでしょう。「人生でわたしたちが遭遇する、すべての状況、状態の性質は、『無常《むじょう》』である。あらゆるものは変化し、消え去るか、わたしたちを満足させなくなる時が、いずれやってくる」

無常はイエスの教えの根幹をなす要素でもあります。「地上に宝を積んではなりません。そこでは蛾《が》やさびが台無しにし、泥棒が押しいり、盗んでしまうからです」

思考がなにかに愛着を持つと、それが人でも、所有物でも、社会的地位でも、場所でも、肉体でも、思考はそれにしがみつき、それと一体化してしまいます。それを、幸福感や満足感の源泉、さらに、アイデンティティを構成する要素にしてしまうのです。

しかし、「蛾やさびが台無しにしてしまう」物質界では、なにものも永遠ではありません。すべては終わってしまうか、変わってしまうか、極の反転（昨年、またはつい昨日まで「良し」とされていた状況が突然、または次第に「悪」に変わる）が起こるかのいずれかです。自分を幸せにしていた状況が、一転して自分を不幸におとしいれてしまうのです。今日の繁栄が、明日には空虚な消費活動に変わります。幸福に満ちた結婚やハネムーンが、不幸な離婚や、みじめな共同生活に変わります。または、当然自分のものだとみなしていたものを失う時にも、不幸な気持ちになります。自分がアイデンティティにしている状況や状態が、変わることや、消えてなくなることは、思考には耐えがたいことです。思考は去っていく状況にすがりつき、変化にもがきます。自分の肉体から、あたかも手足かなにかが、もぎ取られてしまうように感じられるのです。

わたしたちは、全財産や名声を失ったために、自殺をはかる人の話を、しばしば耳にします。これは極端なケースですが、ごく普通の人も、自分にとって大切なものを失うと、ひどく塞《ふさ》ぎこんでしまったり、自分で自分を病気にしてしまったりします。これは「人生」と「人生の状況」の区別がついていないことが原因です。

つい先日のこと、ある有名女優が、八十代で自殺をしたという話を、なにかで知りました。美貌《びぼう》が加齢で衰えるにつれて、彼女はどうしようもなく絶望的になり、世をはかなむようになりました。彼女もまた、「容貌」という、「人生の状況」で、アイデンティティを定義していたひとりです。はじめは、「人生の状況」が「幸せ」を彼女に与え、のちには「不幸」を与えたのです。

もし彼女が、自分の内面にある、かたちと時間を超越した「大いなる存在」につながっていたら、自分の外見が衰えてゆくのを、穏やかな心境でながめ、あるがままに、受けいれていたことでしょう。さらに、美は衰えるどころか、「精神の美」に変わっていったはずです。「大いなる存在」につながっていると、衣である肉体が、日に日に透明度を増していくために、年齢を超えた本質が、肉体を貫いて光り輝くようになるからです。でも、この女優にとっては、この事実は思いもよらないことだったでしょう。わたしたちにとって不可欠な知識でさえ、いまもって万人《ばんにん》の知るところにはなっていないのです。

ブッダは、幸福でさえ「苦」、「不満」を意味する「ドゥッカ」[dukkha;パーリ語]である、と説きました。幸福も、その対極である不幸と不可分であるからです。つまり、幸福と不幸は実のところ、同じものなのです。時間という幻想が、それをまったく違うものであるかのように区別しているのです。

みなさんは「幸福も不幸も一緒だなんて、なんてネガティブな考え方なんだろう！」と、思われますか？　これは、決してネガティブな思想ではありません。一生涯、幻を追い求めることがないように、物事の本質を見極めることについて、お話ししているだけです。これからは、楽しい出来事や美しいものを、喜んではいけない、と言っているのでもありません。「アイデンティティ」、「永遠性」、「充実感」を与えることができないものに、それらを求めるのは、フラストレーションと苦しみをつくる処方箋《しょほうせん》だと言っているのです。もし全人類がさとりをひらき、ものでアイデンティティを確立することをやめたなら、広告産業や消費社会の存立は危うくなるはずです。

外界のものに幸せを求めれば求めるほど、ますますそれらに惑《まど》わされてしまいます。外界のものはどれも、一時的もしくは表面的にしか、わたしたちを満足させません。しかし、人間というものは、なん度も幻滅を味わうまでは、この真実に気づかないものなのかもしれません。

ものや状況は、わたしたちに快楽を与えてくれますが、同時に痛みをも与えます。それらは、わたしたちに快楽を与えることはあっても、「心の平安」を与えてはくれません。この世のものは、なにひとつ、わたしたちに、「心の平安」の喜びを与えはしません。「心の平安」は、なにものにも依存せず、心の奥底からわき上がってくるものだからです。これが「大いなる存在」の本質であり、「神の平和」と呼ばれている境地なのです。それは懸命に努力して手に入れたり、がむしゃらになって到達したりするものではなく、わたしたちの本然の状態なのです。

大多数の人は、なにかをおこなったり、獲得したり、達成したりすれば、さとりがひらけるのだと、いまだに信じていることでしょう。しかし、なん度も言うようですが、なにかをしたからといって、さとりがひらけるわけではないのです。

ところが、この事実をさとったために、生きることにすっかりうんざりし、鬱《うつ》になってしまう人たちもいるのです。この人たちはこう考えるからでしょう。「どんなものも、真の満足感を与えてくれないなら、なんのために生きればいいのさ？　なにをするのも無意味じゃないか」

旧約聖書に登場する預言者は、この認識に到達したらしく、こう記しています。「ありとあらゆるものを見てきたわたしの言葉をしかと聞くがよい！　すべてはむなしい試《こころ》みだ。風をつかもうと、もがくのに似ている」。この境地に達した人は、絶望の一歩手前にいます。しかし、同時にさとりをひらく、一歩手前にもいるのです。

かつてわたしに、こう言った仏教僧がいました。「わたしが僧侶をしてきた過去二十年間に学んだことを、たった一文で言い表わせます。『生まれくるものは、すべてすぎ去る』――これだけは、はっきりと断言できます」。彼の言葉の真意を、わたしはこう解釈しました。「わたしは『すでにそうであるもの』に抵抗しないことを学んだ。わたしは『いま、この瞬間』をあるがままに受けいれることを学んだ。あらゆるものがうつり変わる性質であることを学んだ。――こうしてわたしは心の平和を見いだした」

人生に抵抗せずに生きると、優美で、朗《ほが》らかで、平和な心境でいられます。この心境は、状況の良し悪しに翻弄《ほんろう》されません。パラドックスのように思えるかもしれませんが、かたちあるものに執着しなくなったとたん、「かたちある世界」の状況が、突然好転することが多々あります。幸福になるために必要だと思いこんでいたもの、人、状況にしがみつかなくなったとたん、奮闘や努力なしに、それらが、スムーズにやってくるのです。それがやってくる分には、存分に楽しみ、享受《きょうじゅ》すればいいのです。もちろん状況にはすべてサイクルがありますから、それもやがてはすぎ去っていくでしょう。しかし、執着のない境地にいるかぎり、失うことへの恐れもありませんから、人生は安らぎとともに、ゆるやかに流れていきます。

物質界をよりどころにした幸福には、奥深さがありません。それは、無抵抗の境地に達した時に、「大いなる存在」とひとつになる喜びと、鮮烈な平和の心境に比べれば、そのおぼろな影のようなものです。「大いなる存在」とひとつになると、二元性の思考を超越でき、ものへの執着から自由になれます。たとえ周囲の世界が、ことごとく崩れ、くだけ散ったとしても、心の奥ではゆるぎない、深い平和を感じているでしょう。幸福ではないかもしれませんが、それでも平和ではいられるのです。

第4節　ネガティブ性を利用することと手放すこと

「すでにそうであるもの」に抵抗すると、必ずネガティブな感情を経験します。実を言うと、ネガティブ性はみな抵抗が原因なのです。この場合、ネガティブ性と抵抗のふたつの言葉は、同意語とみなしていただいて構いません。ネガティブ性にはイライラから、短気、激怒、落ちこみ、不機嫌、絶望感まで、さまざまなレベルがあります。抵抗することで、ペインボディを目覚めさせることもありますが、その時には、ほんのささいな出来事でも、鬱、悲嘆などの、極度のネガティブな感情を引き起こします。

エゴはネガティブ性をつくれば、現実をコントロールでき、欲しいものを手に入れられる、と信じています。ネガティブ性が、望ましい状況を引きよせる、または好ましくない状況を一掃《いっそう》する、と思いこんでいるのです。前出の書「奇跡のコース」は、この事実をずばり穿《うが》っています。「不幸な気分になるのは、不幸が自分の欲しいものを『買ってくれる』と、潜在的に信じているから、そうするのです」もしわたしたちが（というより、わたしたちとひとつになった思考が）、不幸には、なんの利益もないと知っていたら、不幸な気持ちをつくりだすはずがありません。むろん、ネガティブ性が無益だというのは事実です。望ましい状況を引きよせるどころか、それが起ころうとするのを、逆に妨げてしまうのです。好ましくない状況を解決するかわりに、その状態を維持しようとさえします。唯一、「便利」と呼べるネガティブ性の機能は、エゴのパワーを増大させることであり、これが、エゴがネガティブ性を愛する理由なのです。

わたしたちが、いったん、ネガティブな要素をアイデンティティにしてしまうと、それを手放したくなくなり、心の深層部では、ポジティブな変化を望まなくなります。ポジティブな変化は、「鬱」、「怒り」、「不当に扱われる」などのネガティブなアイデンティティを、おびやかすものだからです。すると、無意識のうちに、人生のポジティブな部分を無視し、拒否し、変化が起ころうとするのを邪魔します。これはとてもありふれた現象ですが、どうみても健全ではありませんね。

ネガティブな感情は、人間にとって、まぎれもなく不自然なものです。ネガティブ性は、人間の精神にとって汚染物質なのです。人間の集合心理に蓄積されているネガティブ性は、環境汚染及び破壊にも、密接にかかわっています。人間以外には、地球上のほかのどの生命体も、ネガティブ性を知りません。彼らは、人間と違って、自らの生命を支えている地球に対して、「ルール違反」をしたり、毒をまき散らしたりもしていません。

不幸な花や、ストレスにまみれたカシの木を見たことがありますか？　気のめいったイルカや、自尊心に問題のあるカエル、リラックスできないネコ、憎悪の念を抱いた鳥に、出合ったことがありますか？　時にネガティブ性に似たものを経験したり、ノイローゼ気味の兆候を示したりするのは、人間のごく身近で生活しているために、人間のネガティブ性から影響を受けている生物だけです。

身の周りの植物や動物を観察して、「すでにそうであるもの」を受けいれること、「いま」に身をゆだねることを学びましょう。彼らから、「いまに在る」ことを学びましょう。誠実に生きる姿勢を学びましょう。それは「すべてとひとつになること」、「素の自分でいること」、「ほんとうの自分でいること」です。いかに生き、いかに死ぬべきかを、さらに、いかに生きることと死ぬことを問題にしないで生きられるかを、学ぶのです。

わたしは「禅の和尚たち」と、生活しています。彼らの正体は——ネコです。カモも、わたしに重要なレッスンを教えてくれます。カモをながめているだけで、瞑想になるくらいです。思考をしない生き物だけのなせる業であるかのように、カモはいつも平和に満ちて、ゆったりと水面を泳ぎ、しかも完全に「いまに在り」、堂々として、完璧なのです。

しかし、時おり、二羽のカモが、けんかをはじめることがあります。ある時は、見たところなんの理由もなしに、またある時は、一方のカモが別のカモのスペースに、迷いこんでしまうからです。けんかは、たいていあっという間に終わってしまいます。けんかが終わると、二羽のカモは、別々の方向へ泳いで行き、羽を数回、激しくばたつかせます。その後は、まるでなにごともなかったかのように、平和に泳いでいます。

はじめてこの一連の行動を見た時に、わたしには、ピンときました。カモが羽をばたつかせるのは、余分なエネルギーがからだに閉じこめられ、ネガティブ性に変わってしまうのを防ぐために、それを放出しているのです。これは、カモが生まれもった知恵であり、過去を意味もなく生かし、それに基づいてアイデンティティをつくる思考を持たない彼らにとっては、そうするのが、ごく自然なことなのです。

問い　ネガティブな感情だって、重要なメッセージを含んでいるのではありませんか？　たとえば、もしわたしが、憂鬱《ゆううつ》な気分になるとしたら、それは「生き方が、間違っている」というしるしで、自分の生き方を見直し、変える原動力にできる、といった具合です。ネガティブな感情を、ネガティブだからと切り捨ててしまわずに、「なにを伝えようとしてるんだろう？」と、耳を傾けることが、大切なのではないでしょうか？

答え　たしかに、なん度もくりかえされるネガティブな感情は、病気と同じで、メッセージを含んでいることがあります。しかし、その感情をメッセージと受けとめて、どんな行動をしても、それが意識レベルの変化をともなっていないかぎり、すべて、うわべだけの変化で終わってしまいます。「意識レベルの変化」とは、「いまに在ること」です。

わたしたちの「在り方」が、十分なレベルに達していれば、もはや、ネガティブな感情に行動指針をあおぐ必要はありません。ただ、そこにネガティブ性があるかぎり、それを利用しましょう。もっと「いまに在る」ためのシグナルにするのです。

問い　どうしたら、ネガティブな感情や思考がわき上がってくるのを、くい止められますか？　すでに抱いてしまった場合には、どうやって取りのぞいたらいいんでしょう？

答え　もっと「いまに在る」ことでです。それが、ネガティブ性をもとから断つ方法です。でも、たとえ、それがうまくいかなくても、がっかりしないでください。持続的に「在る」状態を維持できる人は、まだほんのひとにぎりなのですから。そのレベルに近づきつつある人は、相当数にのぼります。まもなく、さらに多くの人が、持続的に維持できるレベルに到達するでしょう。

ネガティブな感情がわき上がってくるのに気づいて、それで自己嫌悪におちいってしまっては、状態は悪化する一方です。ですから、「目を覚ましなさい！　思考から脱け出そう！　いまに在りなさい！」

と、自分に告げている、シグナルとみなして、逆に利用するのです。

作家のアルダス・ハクスリーは、晩年の頃、精神の教えに傾倒していました。当時の彼の作品に、「島」[Island]というものがあります。これは、船が難破し、世界から隔絶した孤島に漂着した男についてのお話です。この島はとてもユニークです。島に住む人たちの「尋常でない」点は、島民以外と違って、「いまに在る」ことなのです！　漂着した男が、すぐに注意をうばわれたのは、しきりに言葉を発している、色鮮やかなオウムたちでした。どうもオウムはみんな、『いま』と『ここ』に注目！「『いま』と『ここ』に注目！」という言葉を、連呼しているようなのです。実は、島民たちが、いつも「いまに在る」ことができるよう、このセリフを、オウムたちに仕込んでいた、という事情が、後に小説中で明らかになります。

ネガティィブ性がわき上がってくるのに気づいたら、それがどんな理由によるものでも、特にこれといった理由が見当たらない時でも、小説のオウムが「『いま』と『ここ』に注目！　目を覚ましなさい！」と、自分に呼びかけているつもりになりましょう。

わずかないらだちでも、高をくくるのは禁物です。ネガティィブな感情はみな、認識し、観察する必要があります。そうしなければ、観察されない感情がどんどん心の中に積もっていくからです。すでにご説明したとおり、「ネガティィブな感情は、無益だから、心にためこむのはやめよう」、と思った瞬間、ネガティィブ性を、捨ててしまえるかもしれません。その時には、完全に捨て切ったかどうかをたしかめましょう。もし捨てることが難しいなら、ネガティィブ性がそこにあるという事実を受けいれ、ネガティィブな感情を、観察するのです。

ネガティブ性を捨てられない時には、反応を引き起こしている外的要因が、透明になった自分のからだを、とおり抜けていく、とイメージする方法で、ネガティブ性をこつ然と消すことも可能です。慣れないうちは、つまらないと思えるくらい、ごくささいな事で練習することを、お勧めします。

たとえば、あなたが部屋でひとり静かにくつろいでいるとします。すると突然、通りの向こうから、耳をつんざくような、車の防犯アラームが鳴り出しました。あなたはいらだちはじめました。でも、いらだちは、役に立っているでしょうか？　なんの役にも立っていませんね。では、なぜいらだちは、起こったのでしょう？　あなたがつくったわけではありません。思考がつくったのです。この、思考のプロセスは、自動的で無意識的です。なぜ、思考はいらだちをつくったのでしょうか？　思考は、ネガティブ性が、望ましくない状況を、どうにか解決すると、潜在的に信じているからです。もちろん、これは大きな錯覚です。思考がつくるネガティブな感情（この場合は、いらだちか怒りになります）は、解決しようとしていた、もともとの原因である騒音より、よっぽど人間にとって有害なのです。

このようなトラブルは、「自分が透明になるエクササイズ」で、解決することができます。物質的なからだが、透明になっていくとイメージしましょう。次に、騒音でもなんでも、自分にネガティブなリアクションを起こさせた原因が、からだをとおり抜けていく様子を、イメージしましょう。原因は、もうからだの強固な壁を打ってはいません。このエクササイズは、まず小さなことから、練習しましょう。車のアラーム、犬のほえる声、子供のわめき声、渋滞などで、試してみてはいかがでしょうか。物事が痛ましくたたきつけてくる「こんなはずではなかった」という、抵抗の壁をつくるかわりに、自分のからだを通過させてしまうのです。

もし誰かが、あなたを傷つける意図で、なにか気にさわることを言ったとしましょう。そんな時には、攻撃、防衛、カラに閉じこもる、などの無意識なリアクションをして、ネガティブ性をつくるかわりに、その言葉が、すーっと、自分をとおり抜けていくところをイメージするのです。抵抗はすべて手放しましょう。それは言うなれば、「もう誰も、わたしを傷つけることはできない」という心境です。これこそが、ほんとうの「許し」なのです。この許しをしていれば、わたしたちは、「もろく」ありません。はがねのごとく強靭《きょうじん》でいられるのです。

その境地に達していても、誰かに「あなたの言動は、許容できませんよ」と、伝える選択をすることもあるでしょう。しかし、許しをしているかぎり、誰かの言動に、自分の心の状態がコントロールされることはありません。自分自身が、コントロールの座に就《つ》いているからです。これは、ほかの誰かに対してではなく、自分自身に対して、という意味です。また、思考がパワーをにぎっているわけでもありません。原因が、車のアラームでも、無礼な人でも、洪水でも、地震でも、全財産を失うことでも、ネガティブな感情を手放す方法は、みんな同じです。

問い　わたしは瞑想を日課にしています。これまで参加してきたワークショップは数知れません。精神性を高める本も山ほど読みましたし、あなたのおっしゃる「無抵抗」の境地に達するために、かなり、がんばりましたよ。それでもなお、永続的な「心の平安」を見つけたのかと問われれば、正直なところ、答えは「ノー」です。なぜ、わたしはそれを見つけられないんです？　ほかにいったい、なにをすればよろしいんでしょう？

答え　あなたは、自分の外側に「心の平安」を求めているからです。「もしかすると、次のワークショップに、答えがあるかもしれない」「もしかすると、新しいテクニックがあるかもしれない」。このように、「探す」という姿勢でいるかぎり、「心の平安」の境地に達することはありません。「心の平安」は、探して手に入れるものではないからです。

「いま、自分がいる状態」以外の状態を、探してはなりません。そうすると、無意識のうちに、軋轢《あつれき》や抵抗を心につくりだすことになります。平和の境地にいない自分を、あるがままに受けいれるのです。自分が「非・平和」にいることを、完全に受けいれた瞬間、「非・平和」は、平和に変わります。わたしたちが「なにか」を完全に受けいれると、それがどんなものでも、わたしたちはその「なにか」を超越することができるのです。つまり、「非・平和」を超越することで、平和へと到達できるのです。これが「受けいれること」から生まれる奇跡です。

「もう片方の頬《ほお》を向けなさい」というイエスの教えは、わたしたちにも、なじみのあるものです。イエスはこの表現で、無抵抗と無反応の秘訣《ひけつ》をシンボルで伝えようと試みました。イエスの言葉がすべてそうであるように、この言葉でも、彼は人生の外界の出来事ではなく、「ほんとうの自分」に焦点を当てています。

みなさんは、熊沢蕃山《くまざわばんざん》〔江戸前期の儒学者〕にまつわる、このエピソードをご存知ですか？　蕃山は、かなり長いことさとりの探求に費やしましたが、さとりは、ことごとく彼の身をかわして、すり抜けていったのです。そんなある日のことです。蕃山が市場を歩いていると、肉屋の主人とお客の会話が耳に飛びこんできました。お客は主人に言いました。「あなたのお店で、一番上等の肉をくれませんか」

そう言われた主人は、こう答えたのです。「わたしの店の肉は、全部一番ですよ」。この言葉を聞いたとたん、蕃山はさとりをひらいたのです。

蕃山が、どうしてさとりをひらくことができたのか、おわかりでしょうか？「すでにそうであるもの」を受けいれた時、肉、すなわちすべての瞬間は、ひとつ残らず、全部極上になるのです。これがさとりをひらくことなのです。

第5節　憐れみってなんだろう？

思考から解放されている人は、深い湖にたとえることができます。外界の状況や出来事は、すべて湖の水面上のことなのです。四季のうつり変わりによって、静かな時もあれば、荒れ模様の時もあります。しかし、深いところでは、湖はいつも平穏です。その人は、水面だけではなく、湖全体であり、微動だにしない深部とつながっています。どんな状況にも、しがみついたり、変化に抵抗したりしません。湖の深部の平和は、水面の変化に影響されません。永遠に変わることも、滅びることもない、時間を超越した「大いなる存在」に安住しているのです。もう、たえまなく変化するかたちの世界に、幸福を求めてよりかかったりしません。かたちあるものは、好きなだけ楽しみ、遊んでいいのです。新しいものを創造し、その美を堪能《たんのう》するのもいいのです。でも、それにしがみつく必要はありません。

問い　そこまで、なにものにも執着しなくなったら、人間からも、遠ざかってしまうことになりませんか？

答え　それが、まったく正反対なのです。「大いなる存在」とつながっていない人は、自分以外の人間の「ほんとうの姿」をつかんでいません。自分自身の実体さえつかんでいないのですから、無理もありません。「大いなる存在」を知らないうちは、わたしたちは、他者の外見だけでなく、考え方にまで、好き嫌いの判断をくだしています。「大いなる存在」を知ってはじめて、真の人間関係を構築できるのです。

「大いなる存在」を基盤として、はじめて、他者のからだや思考を、たんなるカーテンとみなせるようになり（実際それが事実です）、ちょうど自分のカーテンの奥にある「ほんとうの自分」を感じることができるように、他者のカーテンの奥にある、その人の実体を感じることができるのです。他者の苦しみや、無意識な行動に直面しても、「いま」に在り、「大いなる存在」につながっていれば、かたちを超えて相手を見ることができるのです。言いかえるなら、相手の輝ける純粋な「大いなる存在」を、自分自身の「大いなる存在」をとおして見ているのです。

「大いなる存在」の次元では、すべての苦しみは幻想にすぎません。苦しみは、かたちでアイデンティティをつくることから生まれるのです。すべての人の「大いなる存在」に気づくことで、奇跡的な癒《いや》しが起こることもあります。

問い　もしかして、それが「憐《あわ》れみ」というものですか？

答え　そのとおりです。自分と万物のあいだの、強固な絆《きずな》に気づくことが、憐れみなのです。ただし、憐れみ、すなわちこの絆には、ふたつの面があります。わたしたちは物質的な肉体として、この世に存在しますから、ほかのすべての人間や生物と「肉体のはかなさ」、「死を免《まぬか》れない」という運命を分かち合っています。これがひとつの面です。今度もし、「わたしと、あの人には、なんの共通点もない！」と思うことがあったら、実際には、その人と決定的な共通点があることを、思い出してください。これから二年先か、七十年先かは定かではありませんが（それはいずれにしろ重要ではありません）、あなたがたは、ふたりとも死体になって朽《く》ちていき、塵《ちり》と化し、しまいには、完全になくなってしまうのです。プライドを持つことがはばかられる、冷水を浴びせられるような事実ではないでしょうか？　これはネガティブな考え方でしょうか？　いいえ、たんなる事実です。こう考えると、あなたとほかのすべての創造物は、完全に平等であると言えます。

とてもパワフルな精神の修練に、肉体が滅びてゆく過程をイメージするものがあります。これは、「死の前の死」と呼ばれています。目を閉じて、瞑想《めいそう》のスタイルでおこないましょう。さあ、イメージしてください。あなたの物質的なからだが、溶けていきます。すべてなくなってしまいました。思考とその産物も、全部消えてしまいます。しかし、神性の存在である、「ほんとうの自分」は、まだそこにいます。それは光り輝いています。ほんとうのものは、なにひとつ死んでいません。死んだのは名前、かたち、幻だけです。

そして、わたしたちの本質が、不死であると知ることが、憐れみの別の面なのです。これに気づくと、自分が不滅であることを認識するだけでなく、その事実をとおして、ほかのすべての創造物も不滅であることを、心の奥深くで認識します。かたちの面では、この世のものはみんな、不安定な性質と、滅びゆく運命を分かち合っています。しかし、「大いなる存在」の次元では、光り輝く永遠の生命を分かち合っているのです。これらが、憐れみのふたつの面なのです。

悲しみと喜びという一見相対する感情がひとつに溶け合い、「心の平安」に変容したものが、憐れみです。これが「神の平和」なのです。これが、人間の抱き得る、もっとも崇高《すうこう》な心情のひとつであり、しかもそれは、癒しと変容のパワーをかねそなえています。しかし、このような真の憐れみを持つ人は、現時点ではまだごくわずかです。苦しんでいる他者に対して、心の底から同情を抱くには、たしかに高いレベルの意識が要求されますが、それは、憐れみの一面だけを表現しているにとどまります。同情だけでは、完璧とは言えないのです。真の憐れみは、同情と共感を超越しています。悲しみが、「大いなる存在」とひとつであるという喜び、永遠の生命とともにあるという喜びと、ひとつに溶け合うまでは、憐れみにはなりません。

第6節　人間の死は幻にすぎない？

問い　人間の肉体が滅ぶべきだとは、どうしても思えません。人間が死を信じるから、肉体が滅びるのであって、人間は、肉体的にも本来は不死なのだと、わたしは信じています。

答え　人間が死を信じているから、肉体が滅びるのではありません。人間が死を信じているから、肉体が存在する、またはそのように見えるのです。肉体も死も、幻です。「大いなる存在」を認識していないと、エゴが「すべては独立し、自分は脅威にさらされている」という信念に基づいて、そのふたつの幻を生むのです。エゴが「わたしは、いつも危険にさらされている物質的な乗り物である『肉体』にすぎません」という幻想をつくっているのです。

「わたしは、この世に生まれ、いくばくもなく死んでいく『もろい肉体』です」という考えが、幻なのです。肉体と死、これは同じ幻想です。このうちの一方だけを持つことはできません。幻想の一方だけをとっておいて、もう一方を取りのぞきたいと思うかもしれませんが、それは不可能です。ふたつともとっておくか、ふたつとも捨ててしまうか、のどちらかです。

とは言うものの、わたしたちは、当然肉体から逃れることはできません。でも、そうする必要もないのです。自分を、肉体だけの存在とみなすのが、致命的な誤解なのです。しかし、「ほんとうの自分」は、肉体という幻想の外側にではなく、内側にあるのです。ですから肉体は、「ほんとうの自分」につながれる、唯一の入口なのです。

もしも天使を石像だと勘違《かんちが》いしたなら、天使を見つけるためには、石像以外の場所を探すことではなく、自分の見方を調整して、石像をもっとつぶさに観察することです。すると石像など、はなから存在していなかった、ということに気づくのです。

問い 死という幻想を信じることが肉体を存在させているなら、なぜ動物にも肉体があるんですか？動物はエゴなんてないし、もちろん死なんて信じちゃいませんよ。

答え しかも、動物は死にますね。いえ、たんにそう見えるだけかもしれません。

わたしたちの目に映る世界は、わたしたちの意識の投影であるということを、忘れないでください。わたしたちは、「かたちある世界」と独立していませんし、わたしたちと世界は、「主体」と「客体」の関係にあるわけでもありません。あらゆる瞬間に、わたしたちの意識が、自分の住む世界を創造しているのです。

近代物理学の発見の中で、もっとも大きな収穫と言えるものは、観察する側と観察される側の相関性です。実験をおこなっている人（観察している意識）は、観察されている現象と、独立していません。観察の仕方を変えることが、観察されている現象に影響を及ぼすのです。つまり、心の深層部で、「すべては分離している」、「生存競争のために他者と争わなければならない」と信じていると、この信念が反映された世界を見ることになるのです。ものの見方は、恐れに支配され、実際に肉体が互いに闘い合う世界に住むのです。

なにもかも、真の姿は、見かけと同じではありません。エゴ的思考に基づいて見る世界は、まるで、くもりガラス越しにものを見るようなものですから、とてもいびつな場所に見えるでしょう。しかし、自分の目に映るものがなんであれ、それは夢の中の出来事と同じで、一種のシンボルにすぎません。わたしたちが見る世界は、わたしたちひとりひとりの意識がどんな状態で、宇宙のエネルギー粒子のダンスに、どのように作用するかによって決まるのです。

このエネルギー粒子が「目に見える世界」の原料なのです。わたしたちはこれを、「肉体」、「生死」、「生存競争」、などという解釈でながめています。人間がそれぞれにみなユニークな存在であるように、解釈や世界も十人十色です。すべては、その人がどのような意識レベルにあるか、にかかっているのです。あらゆる存在は、集合意識の中心点であり、その中心点を起点にして、独自の世界を生みだしているのです。しかも、すべての世界はつながっています。人間世界、アリの世界、イルカの世界など、多種多様な世界が存在します。

意識の波動が、あまりにも自分の波動と違いすぎるために、まるで接点のない存在も無数にあるでしょう。「大いなる存在」とひとつにつながり、万物との絆を知っている、意識の高まった存在は、そうでない人にとっては、天国とも思える世界に住んでいるのです。しかしながら、すべての世界は究極的にはひとつです。

人間の集合世界は、主に思考によってつくられています。人間の集合世界の中には、さらに、めいめいの創造者がつくる、バラエティに富んだ「副世界」が存在します。すべての世界は、みなひとつにつながっているため、人間の集合意識が変容すれば、自然界と動物界も、新しい意識を反映したものになります。聖書の一節に、「来たるべき時代には、ライオンと羊は、ともに横たわるだろう」というものがあります。これは、現在とは別様の世界がつくられる可能性を暗示しているのです。

さきにご説明したように、現在わたしたちの目に映る世界は、おもにエゴ的思考が投影されたものです。エゴは必ず恐れを生むため、この世界が、恐れに満ちているのは、当然と言えます。ちょうど夢が、心の状態と感情のシンボルであるように、わたしたちの世界も、人間の集合心理に幾重にも積もった、恐れなどのネガティブな感情の表現なのです。わたしたちがみな、この世界とつながっているため、大多数の人間がエゴ的思考から解放される時、その内的変化が万物に影響を及ぼします。わたしたちは文字どおり、「新世界」に住むようになるのです。それはグローバルな規模での意識の変化です。

一風変わった仏教の表現、「すべての木も、すべての草も葉も、やがてはさとりをひらく時が来る」も、同じことを言っています。パウロによれば、人間がさとりをひらくのを、万物が待っているのです。わたしは彼の言葉、「世界は、神の御子《みこ》たちが、ほんとうの姿を現わす時を、いまかいまかと、待ち望んでいる」を、そのように解釈しました。パウロはさらに、次の言葉で万物が救われることも示唆しています。「現在までは、世界のあらゆる部分が、産みの苦しみにうめいている」

ただし、目標と結果を混同してはなりません。わたしたちの究極の使命は、より良い世界をつくって、さとりをひらくことではなく、さとりをひらいて、世界を変えることなのです。さとりをひらいた時には、もはや「かたちある世界」には、しばられていません。どんな快楽とも、どんなかたちとも比べることができないほど、偉大なものとつながっているのですから。ある意味では、その境地に達した人は、もう世界など必要としません。世界がいまのままでも、ちっとも構わないくらいです。

さとりをひらいて、はじめてより良い世界の実現、別様の世界を創造するための、貢献ができるのです。さらに真の憐れみを抱き、原因のレベルで他者に力を貸すことができるようになります。この世界を超越した人だけが、この世界をより良い場所にできるのです。

憐れみの、ふたつの性質を覚えていますか？　それは肉体の「死」と魂の「不滅」という、わたしたちすべてに共通の絆に気づくことです。このレベルの憐れみは、癒しになります。このレベルの憐れみは、「すること」よりも、主に「在ること」によって、癒しの威力を発揮するのです。この憐れみを持つ人に接すると、誰しもみな、その人が発している平和に影響されます。

ほんとうにさとりをひらいた人は、たとえ周りの人たちが、無意識にふるまっても、それに対してリアクションする必要性を、まったく感じません。リアクションをすることによって、無意識の行動を、現実にしてしまわないのです。さとりをひらいた人の平和が、あまりにも果てしなく深いために、平和でないものは、まるで最初から存在していなかったかのように、その中に吸いこまれて、消えていくのです。これが、行動とリアクションの、悪循環のカルマを断ち切ります。
　動物、木々、花々は、さとりをひらいた人の平和を感じ、互いに呼応します。これが「在ること」、「神の平和」の表現をとおして、教えることです。光り輝くまったき意識となり、「この世の光」になることです。そうすれば、苦しみを「もとから」取りのぞいていることになります。世界から無意識を一掃する貢献をしているのです。

　しかし、だからと言って、行動をとおして、人に教えるべきではない、ということではありません。たとえば、思考を自分から切り離す方法や、自分自身の無意識なパターンを認識する方法を、言葉で教えることはできます。ただ、「どう在るか」は、「なにを言うか」よりも、大切な教えであり、しかも世界を変えるのに、ずっと威力のある触媒なのです。「なにをするか」よりも、もっと重要です。

「大いなる存在」が万物の本質であるという認識に基づいて、原因のレベルに働きかけると、行動と結果のレベルにも、同時に影響を及ぼせるかもしれません。あなたの憐れみが、人の苦しみを軽減する可能性があるのです。おなかをすかした人があなたにパンを求めてきたら、あなたはパンを分けてあげるでしょう。パンを与える時のふれ合いは、ほんのつかの間かもしれませんが、その中でほんとうに大切なことは、「大いなる存在」を分かち合った、ということなのです。パンはあくまでも、この出来事のシンボルでしかありません。この分かち合いによって、深い癒しが起こります。その瞬間には「与える人」、「与えられる人」の区別はありません。

問い　飢餓《きが》や餓死というもの自体が、そもそもあってはならないものでしょう？　どうすれば飢えや暴力などの「悪」のない、平和な世界を築くことができるんでしょう？

答え　あらゆる「悪」は、人間が「無意識に生きている」ことによる産物です。無意識による影響をある程度は緩和《かんわ》することはできても、原因を根本から取りのぞかないかぎり、「悪」を撲滅《ぼくめつ》することはできません。真の変化はいつも、外側からではなく内側からはじまるのです。

世界を苦しみから救う使命感に燃えているなら、それはとても貴いことです。ただ、外界だけに焦点を当てることがないよう、肝《きも》に銘《めい》じましょう。そうしないと、フラストレーションと絶望感に見舞われることになります。人間の意識に劇的な変化が起こるまでは、世界の苦しみは、底なし沼の状態です。同情が、一面だけに偏《かたよ》ることがあってはなりません。誰かの痛みや欠乏に同情し、手を差しのべたいと思う気持ちは、あらゆる痛みは究極的には幻であり、すべての生命の本質は不滅であるという、深遠な認識と、バランスをとる必要があるのです。そのように認識したうえで、行動に平和を注ぐようにするのです。こうすれば、原因と結果、両方のレベルに同時に働きかけていることになります。

闇と闘うことができないのと同様、無意識と闘うことはできないということを、心にとめておきましょう。闘おうとすれば、ますます二極化がすすみ、両極間の溝《みぞ》を深めることになります。自分を一方の極とみなすと、「敵」をつくることになり、自分も無意識に引きずりこまれていきます。外界に働きかけるのなら、教えを広めることで、または受け身の抵抗を実践することで人間の意識を高めましょう。

ただし、その際には、抵抗、憎しみなどのネガティブ性を、一切抱くことがないよう気をつけてください。「汝《なんじ》の敵を愛せよ」とイエスは言いました。これはもちろん、「敵を一切つくってはいけませんよ」という意味です。

結果のレベルに働きかけはじめると、状況の中に、自分を見失ってしまうことはよくあります。しっかりと目を覚まし、強烈に「いま」に在りつづけましょう。わたしたちが、一番的《まと》を絞るべきなのは、原因のレベルです。わたしたちの主なゴールは、さとりを人々に広めることです。そしてわたしたちの、世界への一番貴重な贈り物は「平和」です。

第10章

「手放すこと」って、どういうこと？

第1節　「いま」を受けいれよう

問い　「手放すこと」、「執着《しゅうちゃく》を捨てること」について力説していらっしゃいますが、はっきり言わせてもらうと、運命論者のようで、わたしは賛成できません。「なにもかも、ありのままに受けいれる」ということは、「向上のための努力をしない」ということでしょう？　個人的なことでも、社会的なことでも、現在のレベルを限界だと決めつけないで、さらにより良いものにしようと、食い下がることこそ、わたしたちが「進歩」と呼ぶものではありませんか？　そうしてこなかったら、わたしたちは、いまだにほら穴に住んでいたはずです。「手放すこと」と、「より良くするための変革と行動」は、どうすれば両立できるんでしょうか？

答え　ある人たちにとっては、「手放すこと」は、試練に対する「敗北」、「あきらめ」、「挫折」、「無気力」などを意味し、消極的な態度に聞こえるかもしれません。しかし、ほんとうの「手放すこと」は、まったく別のものです。なにもせずに、受け身の姿勢で、自分がおかれた状況に耐えることではないのです。計画を立て、積極的に行動を起こすことを、放棄するわけでもありません。

「手放すこと」は、人生の流れに逆らうよりは、それに身を任せるという、シンプルでありながらとても奥の深い「知恵」なのです。人生の流れを実感できる場所は、「いま、この瞬間」しかありません。「手放すこと」は、「いま、この瞬間」を、なんの不安も抱かずに、無条件に受けいれることです。「すでにそうであるもの」は、「いま、この瞬間」に対する心の抵抗を、捨て去ることです。

心の抵抗とは、思考の決めつけやネガティブな感情によって、「すでにそうであるもの」を拒絶することです。物事が思いどおりにいかない時、「こうでなければならない」、という自分の要求や期待と、事実とのあいだにギャップがある時、この傾向は特に顕著《けんちょ》になります。これが「痛みをこしらえるギャップ」です。長年生きていれば、「思いどおりにならないこと」にちょくちょく出くわすことは、もうご存知でしょう。痛みや悲しみをこしらえたくなかったら、そういう時こそ、「手放すこと」を実践するのです。「すでにそうであるもの」を受けいれたとたん、思考から解放され、「大いなる存在」につながることができます。物事に抵抗するのは、思考のさがなのです。

「手放すこと」をおこなうのは、内面だけでいいのです。なんらかの行動をとって、状況を変えてはいけないという意味ではありません。しかも、手放す時に受けいれなければならないのは、一切合切《いっさいがっさい》の状況ではなく、「いま、この瞬間」という、ごく限られた部分だけでいいのです。

たとえば、自分が、どこかでぬかるみにはまったとします。こんな時、「このまま、ぬかるみにはまったままでいよう」などと言って、状況に甘んじる人はいませんね。「手放すこと」は「あきらめること」とは違います。好ましくない、不愉快な人生の状況を、甘受《かんじゅ》する必要はないのです。「ぬかるみにはまっていることは、悪いことではない」などと強がりを言って、自分をいつわる必要もありません。

「ぬかるみから脱け出したい」ということは、明白な事実です。それなら、その状況にレッテルを貼らずに、意識を「いま」に集中させるのです。「レッテルを貼る」というのは、物事に対して、決めつけをすることです。決めつけがなければ、抵抗やネガティブな感情は、一切わき上がってきません。「いま、この瞬間」の、「すでにそうであるもの」を、すべて受けいれるのです。そのうえで、ぬかるみから脱け出すために、できるかぎりのことをすればいいのです。

このような行動を、わたしは、ポジティブな行動と呼びます。ポジティブな行動は、怒り、絶望、フラストレーションを起点にした、ネガティブな行動よりも、はるかに効果的です。望ましい結果を達成できるまで、「いま」にレッテル貼りをしないで、「手放すこと」を実践しつづけましょう。

みなさんに、わたしの説明していることのポイントを、つかんでいただけるように、今度はイメージでお話ししてみます。

霧深い夜に、あなたはひとり、真っ暗な小道を歩いています。でも、さいわいあなたには、霧を貫きとおし、目の前の道をくっきりと照らす、強力な懐中電灯があります。

おわかりでしょうか？　この中で、「霧」は、過去と未来を含めた「人生の状況」を象徴しています。また、「懐中電灯」は、「いまに在る」意識を、目の前のくっきりと照らされた道は「いま」をそれぞれ象徴しています。

「すでにそうであるもの」に抵抗すると、エゴは「よろい」を強固にし、「すべては、はなればなれである」という信念をも強めます。すると、自分の周りの世界、特にほかの人間が、自分の存在をおびやかしているのではないか、と思えてきます。それにともなって、決めつけをするようになり、競争心や支配欲とともに、他者を抑圧しなければならない、という強迫観念が、無意識のうちに芽生えてきます。自然でさえも、敵とみなすようになり、ものの考え方や解釈の仕方が、恐れの色に染まります。被害妄想と呼ばれる心の病気も、実はこの機能不全が、わずかに進行しただけにすぎません。

抵抗によって固くなってくるのは、心理的な「よろい」だけではありません。物質的な「よろい」である肉体のほうも、実際にこわばってくるのです。からだのあちこちが緊張しはじめ、全体的に収縮してしまいます。正常に機能するために不可欠な生命エネルギーが、自由に流れなくなります。エクササイズや、セラピーが、エネルギーの流れを修復するのに役立つかもしれませんが、毎日の生活の中で「手放すこと」を実践して、原因である心の抵抗を取りのぞかないかぎり、効果は長つづきしません。

「人生の状況」にまったく影響されない、わたしたちの中にある「大いなる存在」には、「手放すこと」をしなければ、つながることはできません。「大いなる存在」は、時間のない「いま」に永遠に存在する、わたしたちの生命です。この生命を見つけることが、「あなたに必要な、ただひとつのこと」と、イエスが表現したものです。

「人生の状況」が不満足、またはとうてい我慢できないものなら、まず、「手放すこと」をしましょう。手放さなければ、その状況を維持させているにほかならない、無意識な「心の抵抗」を止めることができません。

「手放すこと」は、「行動すること」、「変化を起こすこと」、「目標を達成すること」と、なんの問題もなく、両立できます。ただ、「手放すこと」をしている意識は、「抵抗」している意識とは、まったく別のエネルギーを生み、まったく別のクオリティが、行動に反映されるのです。その理由は、「手放すこと」をすると、すべての生命の源である、「大いなる存在」につながることができるからです。「手放すこと」をすると、意識レベルはとてつもなく高まるため、行動のクオリティも、自動的に高められるのです。結果にもそれが反映され、奏功《そうこう》する可能性が高まります。これは、「手放すことによる行動」と呼んでもいいでしょう。「手放すことによる行動」は、何千年ものあいだ使われてきた言葉、「苦労」とは、まったく別のものです。さらに多くの人間が目覚めれば、わたしたちの語彙《ごい》から「苦労」という言葉は姿を消し、それにかわる新しい言葉が登場するでしょう。

自分が、どんな未来を歩むのかを決定する、中心的な要素は、「いま、この瞬間」の意識のクオリティです。それゆえに、ポジティブな変化をもたらすのに、わたしたちにできる一番重要なことは、「手放すこと」なのです。「手放すこと」に比べたら、行動そのものは二次的です。「手放すこと」をしていない意識からは、真にポジティブな行動は生まれません。

問い　不愉快な出来事や、納得のいかない出来事が起こっても、それらを心から、まるごと受けいれてしまえれば、たしかに、苦しみも不幸もないでしょう。苦しみや不幸を超えた視点に立つことができますからね。でも、まるっきり「不満足」という感情を抱くことがなかったら、改善しよう、行動を起こそう、といったエネルギーや、モチベーションは生まれてこないと思うのですが。

答え 「手放すこと」の境地にある人は、どんな出来事が起こっても、自分がなにをすべきかが明確にわかり、的を絞って、ひとつずつ片付けるようにして、状況にとりくんでいくものです。これは、自然から学ぶことができます。自然界では、いかにすべてが、不満足や不幸などのネガティブな感情を一切抱くことなく、生命の奇跡をくりひろげているかを、見極めてください。

イエスが以下のように言われたのは、同じ理由です。「野のユリが、どんな風に成長しているかを、観察しなさい。ユリはあくせく働きもしなければ、つむぎもしない」

人生の状況が不満足、または不愉快なら、「いま、この瞬間」に内面のネガティブ性をすべて捨て去り、「すでにそうであるもの」に身をゆだねましょう。これが、「霧を貫きとおす懐中電灯」です。そうすれば、外的状況によって、心が乱されることはありません。抵抗を原動力として、リアクションをしたり、行動したりはしないでしょう。そのうえで、解決したい案件について具体的にみていけばいいのです。

こう自問するといいでしょう。「この状況を変えるか、または、この状況から脱け出すために、なにかできることはないだろうか?」もしあるなら、そこで的確な手段をとればいいのです。自分が将来のある時点でしたいと思っている、またはすべきである、百のことに思いをめぐらすかわりに、いますぐできる、「ひとつのこと」に的《まと》を絞るのです。

ただし、これは計画を立てるべきではない、という意味ではありません。場合によっては、計画を立てることだけが、その時点でできる、唯一のことかもしれません。その際には、脳裏のスクリーンに未来図を映し出して、「いま」を見失ってしまうことがないように注意しましょう。自分のとった行動が、すぐには実を結ばないかもしれません。成果がすぐに表われないからといって、「そうであるもの」に抵抗してはなりません。手立てがなく、状況から身をひくこともままならないなら、さらに手放し、さらに「いま」に在《あ》り、さらに「大いなる存在」とひとつになるために、その状況を利用しましょう。

時間のない、「いま」に在ると、しばしばなにも骨折りをしないのに、予想もつかない具合に、状況が好転することがあります。人生はなぜか協力的になり、あなたの味方になります。恐れ、罪悪感、怠慢などが、行動を起こすのを妨げている時でも、さらに強く「いま」に在れば、意識の光が、そういったマイナスの気持ちを溶かしてくれるはずです。

「手放すこと」を、「なにがあっても、わたしには関係ありません」とか、「どうなっても、いいです」などの、なげやりな態度と混同しないでください。こういった態度は、よくよく観察してみると、裏に怒りがひそんでいて、実際は、「手放すこと」という仮面をかぶった、抵抗であることがわかります。

ですから、「手放すこと」を実践する時には、自分の内面をよく観察して、そこに抵抗が、わずかでもないか、たしかめましょう。確認は、用心深くおこなってください。心のどこか、暗がりのすみっこのほうで、抵抗のかけらが、ネガティブな感情などのかたちで、息をひそめているかもしれないからです。

第2節　思考のエネルギーを、意識のエネルギーに変えよう

問い　「抵抗しないこと」は、「言うは易《やす》く、おこなうは難《かた》し」です。どうしたら実践できるのか、いまだにピンときません。「手放すことだよ」と、おっしゃるなら、さらに教えてください。どうやって手放すんですか？

答え　まず、「自分が抵抗している」という事実に気づくことが、最初のステップです。抵抗がわき上がってくるのに気づいたら、しっかりと「いま」に在りましょう。思考が、どんな具合に抵抗をこしらえているかを観察しましょう。思考が状況、自分自身、他者にレッテルを貼っていくプロセスを、観察するのです。

次に、自分の感情エネルギーを感じましょう。自分が抵抗していくプロセスと、それにともなって発生するネガティブな感情をきちんと観察すれば、それが、なんの役にも立っていないということが、はっきりとわかるはずです。

意識をすべて「いま」に集中させると、抵抗という「無意識」は、「意識」に変わります。これで「ゲーム」はおしまいです。わたしたちは、意識して不幸でいることはできません。意識してネガティブでいることはできないのです。ネガティブ性、不幸、どんなたぐいの苦しみでも、それを抱くのは、

本人が抵抗していることの証《あかし》であり、抵抗は必ず無意識であることから生まれているのです。

問い もちろんわたしは、意識して不幸でいられますよ。

答え あなたは、自分の意思で「不幸な気持ち」を選びますか？ もし選ばないとしたら、それはなぜ、わき上がってきたのでしょう？ どんな目的があるんでしょう？ 誰がそれを生かしつづけているのでしょう？ あなたは意識して不幸でいられる、と信じているようですが、それは、果たしてほんとうでしょうか？

実際のところはこうでしょう。あなたは、「不幸なわたし」を、自分のアイデンティティにし、強迫的な思考を燃料として、その気持ちを持続させているのです。そしてこの一連の行動は、すべて無意識的です。あなたが意識しているなら、つまり、「いまに在《あ》る」なら、ネガティブ性は、ほとんど一瞬にして消えてしまうでしょう。「いまに在る」人の中では、ネガティブ性は生きのびることができないからです。ネガティブ性が生きのびられるのは、本人が「いまに在《い》ない」時だけです。あなたは、不幸に時間を与えることで、不幸を生かしておいているのです。時間こそが、不幸の「生命源」です。強烈に「いま」に在ると、時間はとりのぞかれ、不幸な気持ちも消えてしまいます。

「手放すこと」をするまでは、「魂の世界」は、なにかで読んだり、話題にしたり、わくわくしたり、本に書いたり、思惟《しい》をめぐらしたり、信じたりする対象にとどまります。場合によっては、それすらしないかもしれません。「手放すこと」をして、「大いなる存在」が自分にとって、まぎれもない現実になるまでは、そういったことをする、しないは大した違いではありません。

「手放すこと」をした人は、「目に見える世界」を動かしている思考エネルギーよりも、はるかに高い波動のエネルギーを発するようになります。すると、このエネルギーが、その人の人生を動かしはじめるのです。現在のわたしたちの文明、社会、政治、経済システムをつくりだしたのは、思考エネルギーであり、これはいまでも、教育やメディアをつうじて生きつづけています。

「手放すこと」をすると、今度は純粋な意識である、魂のエネルギーが、この世界に注がれるようになります。魂のエネルギーは、自分にも、この地球上のどんな生命体にも、苦しみを与えません。思考のエネルギーと違って、地球を汚染しません。また、悪のない善は存在できないという、両極性の法則にも左右されていません。いまも人類の大半を占める、思考のエネルギーに動かされている人たちは、魂のエネルギーの存在に、気づいていません。彼らにとって、魂のエネルギーは、別の次元に属しているからです。

「手放すこと」の境地に到達した人間、つまりネガティブ性から完全に解放された人間が、一定数に達すると、魂のエネルギーが、新しい世界をつくります。地球が新しく生まれ変わる時、そこに住む人のエネルギーは、魂のエネルギーです。イエスは、有名な山上《さんじょう》の垂訓《すいくん》でこのエネルギーについて触れ、預言めいた言葉を残しています。「柔和な人々は幸いである。その人たちは地を受けつぐだろう」。「柔和な人々」とは、思考から解放され、「いまに在る」状態にいる人たちのことです。

ありがたくない、しつこい状況も、「手放すこと」をすれば、ほどなく変化、または解消される傾向にあります。これは状況や人間を変容する、パワフルなツールです。たとえ状況が、すぐには変化しなくても、「いま」を受けいれれば、思考から解放されます。いずれにしろ、心が自由であることは間違いありません。

第3節　個人的な関係で「手放すこと」

問い　では、わたしを利用しよう、操ろう、コントロールしようとする人たちには、どう対処すればよろしいんでしょう？　彼らの言うことをありのままに受けいれて、言いなりになるべきなんですか？

答え　そういう人たちは、「大いなる存在」につながっていないため、無意識のうちに、あなたからエネルギーやパワーを、奪おうとしているのです。無意識に生きている人間だけが、人を利用しよう、巧みに操ろうとしています。ひるがえって、人から利用され、操られてしまうのも、無意識に生きている人間だけであるというのも、これまた事実です。誰かの無意識な行動に抵抗したり、それと闘ったりすると、自分自身も無意識状態に引きずりこまれてしまいます。

「手放すこと」は、無意識な人たちからいいように利用されていい、という意味ではありません。まったく違います。心では完全に「手放し」をしていると同時に、相手に対して、きっぱりと明確に「ノー」と言ったり、状況から立ち去ったりすることは、十分に可能です。ただし、「手放し」をしている際には、感情的リアクションではなく、その時点の自分にとって、なにが正しくて、なにがそうでないかという、判断に基づいて「ノー」と言うのです。さらなる苦しみをこしらえないために、感情反応ではない「ノー」、威厳ある「ノー」、ネガティブ性を一切含まない「ノー」にするのです。

問い 職場で不愉快な問題があるので、「手放すこと」をしようと試みましたが、とてもできそうにありません。抵抗の気持ちが、とめどもなく、わき上がってくるのです。

答え 「手放すこと」ができないなら、すぐになんらかの行動を起こしなさい。その状況を変えるために、はっきりと意見を述べるか、なにか手を打つのです。状況から身をひくことも、ひとつの方法です。このふたつが、自分の人生に責任を持つ方法です。美しく、輝いている、あなたの「大いなる存在」を、そして地球を、ネガティブ性で汚染させないでください。自分の内面の「すみか」に、どんなかたちの不幸も、与えてはなりません。

仮に、現在事情があって、なんの行動もとれない状況にあるなら、その人にはふたつの選択肢があります。抵抗することか、手放すことです。しがみついているか、外的状況から心が解放されていること。苦しみか、心の平安。どちらを選びますか？

問い 「手放すこと」は、暴力に対して無抵抗で応ずるといった具合に、物理的な面でも実践するものなんですか？　それとも心の状態に限られているんですか？

答え 内面の状態だけに、気を配ればいいんです。なにをおいても、それが一番大切です。内面を整えれば、外的な行動や人間関係なども、自ずと変化するからです。

「手放すこと」をすれば、人間関係は、深いレベルで変わってきます。「すでにそうであるもの」を受けいれられない人は、誰をもありのままに受けいれていない、ということを意味します。つまり、人に対して判断を下し、批判し、レッテルを貼り、拒絶するか、自分の思いどおりにその人を変えようとしてしまいます。

また、「いま」を、「目的達成のための踏み台」とみなしていると、自分が出会う人たちをも、目的達成のための踏み台にしてしまいます。当然の結果として、人間関係、つきつめると人間そのものが、その人にとって、あまり重要でなくなります。極端な場合には、まったく意味のないものになってしまうこともあるでしょう。物的な利益にしても、権力でも、身体的な快楽やエゴの欲求を満たすことでも、人からなにを獲得できるかが、その人の最大の関心事になります。

人間関係において、「手放すこと」を、具体的にどのように実践すればいいか、例を挙げて説明しましょう。たとえば、パートナーなどの身近な人と、もめごとの状態にあるとします。そんな時はまず、自分の言い分が攻撃された時に、いかに自分が防衛的になるか、または相手の言い分に対して、いかに自分が攻撃的になるかを観察するのです。自分が自説に固執《こしゅう》している、という事実を知りましょう。自分は正しく、相手は間違いでなければならないという考えの原動力となっている、感情、思考のエネルギーを感じましょう。それが、エゴ的思考のエネルギーなのです。エゴ的思考の存在をきちんと認識することで、また十分に感じることで、それを意識に変容してしまえるのです。

この観察をしていると、口論の最中に、自分には、防衛、攻撃以外にも選択肢があることに突然気づき、その感情的リアクションを止めてしまうかもしれません。これが「手放すこと」です。ただし、リアクションを止めるというのは、心の中で「わたしは、子供じみた無意識を超越しているんだ」と言いながら、「そうそう、君の言うとおりだとも」と、口先だけで負けを認めることではありません。これは、相変わらず抵抗がそこにあり、優越意識を持ったエゴ的思考にコントロールされている状態です。

ほんとうに「手放す」には、エゴ的思考と感情をすべて放棄しなければなりません。自分が、驚くほど軽やかになり、深い平和に包まれていると、はっきり感じられるなら、「手放すこと」の境地に到達できたしるしです。「手放すこと」をしたあと、相手の行動が、どんな風に変わるか、観察してごらんなさい。思考から解放された時、やっと真のコミュニケーションがはじまるのです。

問い　暴力や攻撃といったものに対する、「無抵抗主義」はどうなんですか？

答え　わたしの言う「無抵抗」は、必ずしも、「なにもしないこと」を意味するのではありません。わたしの言う「無抵抗」は、どのような行動も、感情的リアクションにならないということです。「相手の力に抵抗してはなりません。身をゆだねることで打ち勝つのだ」という、東洋の格闘技の奥義である、深遠な智恵を胸に刻んでおきましょう。

しかしながら、強烈に「いまに在る」時には、「なにもしないこと」自体が威力を発揮し、状況や人々を変化させたり、癒《いや》したりすることがあります。道教には、「行動なき行動」もしくは「なにもせず静かに座る」と一般に訳される、「無為」［wuwei］という言葉があります。古代中国では「無為」は、もっとも気高《けだか》いおこない、美徳のひとつとみなされていました。これは、不活発な状態とは違います。恐れ、怠慢、優柔不断などの無意識状態とは、もちろん対極に位置します。真の「なにもしないこと」は「手放していること」、「無抵抗であること」、「意識がはっきりと目覚めていること」が要求されるのです。

「手放すこと」の境地に達していれば、行動をとるべき時には、思考に基づいてリアクションをすることはありません。かわりに、「在る」意識に基づいて対応するのです。「手放すこと」の境地にある人は、非暴力主義を含め、どのような観念にもしばられていません。その人がどんな行動に出るか、誰も予想すらできないのです。

エゴは抵抗することが、強さの証だと信じています。ところが抵抗こそが、わたしたちを、唯一のパワーの源である「大いなる存在」から切り離してしまう、というのが、真実なのです。抵抗は弱さです。それは、強さという仮面をかぶった恐れにほかなりません。エゴは「大いなる存在」のパワー、純粋さ、いつわりのない姿を、弱さとみなしているのです。皮肉なことに、エゴが強さとみなしているものが、弱さなのです。そのため、エゴは持続的に抵抗し、真のパワーである「大いなる存在」を「弱さ」とみなして、それをおおいかくそうと、「にせの自分」を演じるのです。

「手放すこと」をしないかぎり、自分でも気づかないうちに、「にせの自分」を演じるゲームが、人との交流の大部分を占めることになります。「手放すこと」をしたなら、「にせの自分」の仮面や、エゴを防衛する必要はなくなります。つまり、極めて「シンプル」な人間になって、より「本物」に近づくのです。

すると、エゴはきっとこんな風に抗議するでしょう。「『にせの自分』をやめるとは、なんて命知らずな！　おまえは、きっと傷つくことになるぞ」。エゴはこの事実を知らないからです。「手放すこと」によってのみ、人は「裸」になり、「傷つきやすく」なります。しかし、そうしてはじめて、「ほんとうの自分」がカラを破って姿を現わし、「ほんとうの自分」は、決して「傷つかない」ことを発見するのです。

第4節　病気はさとりのチャンス

問い　重病人が素直に病気を受けいれ、病気に抵抗するのをやめたら、健康回復をあきらめることを意味しませんか？　闘病の意思は、そこには存在しませんよね？

答え　「手放すこと」は、無条件で、心から「すでにそうであるもの」を受けいれることです。受けいれるのは、「いま、この瞬間」の自分の人生です。「人生の状況」と呼んでいるものではありません。ふたつの違いについては、すでに述べました。

病気の意味するところを、お話ししましょう。病気も「人生の状況」の一部なのです。「人生の状況」であるからには、過去と未来に関連しています。「いまに在る」ことによって、「いまのパワー」が発揮されないかぎり、過去と未来は、一本につながった時間軸をつくります。もうみなさんご存知のとおり、「人生の状況」を構成する、さまざまな出来事の根底には、真実の「なにか」が存在します。それは、かたちや時間を超えた「いま」にある、「大いなる存在」です。

「いま」には、なんの問題も存在できないように、病気も存在できません。自分の症状に、誰かが貼りつけるレッテルを信じる気持ちが、その症状にパワーを与え、その症状を維持させているのです。すると、一時的なバランスの崩れは、あたかも確固とした事実であるかのようになってしまいます。症状を、確立してしまうだけでなく、症状に時間を与えてしまうことにもなるのです。

「いま、この瞬間」に意識を集中させ、症状にレッテルを貼るのをやめれば、「病気」と名づけられるものは、「身体的痛み」、「虚弱」、「不便さ」（または「障害」）のうちの、いずれかの症状に絞られるはずです。その症状が、あなたが「いま」抵抗するのを、やめるべきものです。これは、「病気」をあきらめる、という意味ではありません。苦しみを、「いま、この瞬間」へと自分を追いつめ、強烈に「在る」状態へと導くための、原動力とするのです。さとりをひらくために、活用するのです。

「手放すこと」は直接的には、「すでにそうであるもの」を変容しません。「手放すこと」で、わたしたち自身が変わるのです。わたしたちが変わる時、わたしたちの住む世界も、すべて変わります。くりかえしになりますが、世界は意識の投影にすぎないからです。

鏡を見て、そこに映るものが気にいらないと言って、腹を立て、鏡を攻撃する。これが「手放すこと」の境地にいない人がしていること、そのものです。しかも、映像を攻撃すると、映像のほうも、反撃してきます。映像がどんなものであれ、ありのままに受けいれ、友好的になるなら、映像のほうも、わたしたちに対して友好的にならずにはいられません。これが世界を変えるコツなのです。

病気は問題ではありません。エゴ的思考が、人生をコントロールしているかぎり、「自分自身」が、問題なのです。病気を抱えていても、からだが不自由でも、自分に落ち度があるのではないか、と感じたり、罪悪感を持ったりしてはなりません。「なぜ、こんな不当な目にあわなければならないのか」と、人生を恨《うら》んでもなりません。このような態度は、すべて一種の抵抗です。

もしも重病を抱えているなら、さとりをひらくために、それを利用しましょう。人生で起こる「悪いこと」をすべて、さとりをひらくために、活用するのです。「いまに在る」ことで、病気から時間の概念を、とり去るのです。病気に過去や未来を与えてはなりません。強烈に「いま、この瞬間」に在る状態へと、自分を追いつめるために使うのです。それから、どんな変化が起こるか、見守りましょう。

わたしたちはみんな、錬金術師になれるのです。「卑金属」を「金」に、「苦しみ」を「意識」に、「悲劇」を「さとり」に変容させるパワーを持っているんですから。

読者の中には、深刻な病気に苦しんでいて、わたしが言ったことに、腹を立てている人もいるかもしれません。そのような人は、病気を自分のアイデンティティの一部にして、「病気のわたし」を防衛していることになります。しかもそうすることによって、同時に病気そのものをも、守っているのです。「病気」というレッテルが貼られた症状は、「ほんとうの自分」とは、本来なんの関係もないのです。

第5節　災難に見舞われた時、どう在るか？

まだ大多数を占める、無意識に生きている人間の場合には、極限状態に直面するというきっかけがないと、さとりをひらくことができないようです。極限状態とは、災難、大激変、大損失による苦しみで、目の前が真っ暗になり、なにもかもがめちゃくちゃだと、思われる状態です。それは肉体的なものにしろ、心理的なものにしろ、死との直面です。そのような苦しみが、「手放すこと」へと自分を追いつめることになり、エゴの硬いカラを打ち破って、さとりをひらくのです。

ただし、極限状態がいつも成功する、というわけではありません。極限状態になると、「すでにそうであるもの」に対する抵抗が、逆に強まり、「下り坂」から、さらに「下方」へと落ちてしまう人たちもいます。中には、完全とまではいかなくても、いくらか「手放すこと」をおこなえる人もいるでしょう。いくらかでも、「手放すこと」をすれば、心の状態は楽になるはずです。エゴのカラが少し破れ、その破れ目から、思考の奥にある「大いなる存在」の平和が、輝きはじめるからです。

極限状態は、数々の奇跡を生んできました。死刑執行を待っているあいだ、余命数時間というところで、すべてを手放したために、エゴから解放され、それと同時に、深い喜びと平和を経験した死刑囚は、ひとりではありません。死刑囚の場合は、自分の死を待つという、想像を絶する状況の中で、心の抵抗は並大抵なものではなく、苦しみが限界を超えてしまいます。ところが、逃げこめる場所も術《すべ》も、空想上の未来にでさえ、存在しません。そうなると、もう意思とは無関係に、すべてを完全に受けいれるよりほかにありません。彼らは力ずくで、「手放し」の境地に、追いつめられたのです。こうして彼らは、「恩寵《おんちょう》」の境地に到達することができました。「恩寵」とは、過去からの完全な解放を意味します。でも、実際に「恩寵」の奇跡を生んだのは、極限状態ではなく、本人がおこなった「手放すこと」にあったのです。

災難がふりかかってきた時、または、途方もなく「まずいこと」が起こった時、その出来事には、別の側面があることに、気づきましょう。出来事は、病気、からだが不自由になる、家、財産、社会的地位を失う、親しい人との別離、愛する人の苦しみや死、自分の死期が迫っている、などさまざまです。そんな時には、悲嘆にくれるのではなく、比類なきほど素晴らしいことの、ほんの一歩手前にもいるということに、気づくべきです。なぜなら、痛みと苦しみという「卑金属」を、「金」に変える、錬金術的な変化を起こす、一歩手前にいるからです。その一歩は、「手放すこと」と呼ばれているステップです。

こういった状況にある人が、幸福であるだろう、とはもちろん言いません。おそらく幸福ではないでしょう。しかし、「手放すこと」をすれば、恐れと痛みは、内奥にある「大いなる存在」からわき上がる「心の平安」に変わるのです。これが、「人智の及ばない神の平和」です。これに比べれば、幸福などは、とても薄っぺらなものです。

「心の平安」は、内面の深いレベルで感じられるものであり、思考のレベルでとらえるものではありません。この境地にある時、「わたしを破壊することはできない。わたしは不滅だ」と知ります。これは信じる、信じないという概念ではなく、証明する必要のない確固たる真実なのです。

第6節　苦しみを平和に変える方法

問い　古代ギリシャの、あるストア学派哲学者が、息子の事故死の知らせを聞いた時、「息子は不死身でないと、承知していました」と、答えたという話を本で読みました。これがあなたのおっしゃる「手放すこと」なんですか？　もしそうだとしたら、わたしはまっぴらです。わたしたちは、血のかよった人間なんです。いくらなんでも、執着を捨ててありのままに受けいれることそのものが、不自然で、非人道的な状況になる、ということがあるとは思いませんか？

答え　自分の感情を切りはなしてしまうことが、「手放すこと」ではありません。しかし、わたしたちには、哲学者がこの言葉を言った時の心境を、推《お》し測《はか》ることはできません。「いま」を受けいれるのが不可能なほど、むごい状況というものが、たしかにあるでしょう。それでも、わたしたちには、「手放すこと」をおこなうチャンスが与えられています。

「すでにそうであるもの」を、その都度、ありのままに受けいれることが、まずわたしたちに与えられている、最初のチャンスです。「すでにそうであるもの」を、「そうでないもの」にくつがえすことはできないと知るのです。「すでにそうである」のですから、「すでにそうであるもの」に、「Ｙｅｓ」と言うか、「そうでないもの」を、潔《いさぎよ》くあきらめるかの、どちらかしかありません。こうして心の抵抗をとりはらってから、状況に応じて、自分のすべきことをおこなえばいいのです。

「すべてをあるがままに受けいれる」境地に達していれば、もうネガティブ性、苦しみ、不幸をこしらえません。もがきやあがきのない、無抵抗、優美、陽気な心で生きられます。状況が耐えがたいほど苛《か》酷《こく》であるために、受けいれをしなかったり、十分に「いまに在る」ことができなかったりする時には、必然的に、痛み、苦しみをこしらえているのです。わたしたちの目には、状況が苦しみをこしらえているように見えますが、実際は、状況に抵抗することで、自分自身がこしらえているのです。

では、「手放すこと」ができる、次のチャンスについてお話ししましょう。外界の状況が受けいれられないなら、せめて内面にあるものを、受けいれるのです。つまり、心の苦しみに、抵抗しないことです。心の苦しみを、あるがままに、ほうっておくのです。悲嘆、絶望、恐れ、孤独など、苦しみが、どんなかたちで表われようと、それをありのままに、受けいれるのです。レッテル貼りをせずに、観察するのです。苦しみの感情を、そのまま抱きしめてあげなさい。こうすれば、「手放すこと」で、深い苦しみが深い平和に変わるという、奇跡が起こります。

問い 「苦しみに抵抗しない」というのは、どうも納得がいきません。あなたのおっしゃるとおり、「苦しむこと」自体が「抵抗すること」でしょう？　だとすると、「抵抗すること」に「抵抗するな」ということになりますが、これは矛盾していませんか？

答え 「抵抗しない」「手放すこと」を、しばらくのあいだ忘れてください。痛みが極端な時は、「手放すこと」の話をしても、空回《からまわ》りしてしまうからです。あまりにも深い痛みがあると、それを受けいれようとするよりは、そこから逃げ出そうとするのが、人間というものです。自分の感情と向き合うことを、恐《こわ》がってしまうのです。しかし、痛みを避けたところで、逃げ場はなく、解決策にはなりません。にせの逃げ場なら、仕事、酒、麻薬、怒り、八つ当たり、抑圧など、数多くあります。しかし、これらに走っても、わたしたちは、痛みから解放されません。痛みをきちんと観察しないかぎり、痛みは軽減されないのです。

心の痛みを否定すると、人間関係はもちろん、行動も思考も、すべて痛みに汚染されてしまいます。痛みを持つ人は、ネガティブなエネルギーを発していますが、これは、ウィルスをまき散らすのに似ています。ネガティブなエネルギーを、周りの人たちが、潜在的にキャッチしているからです。痛みのエネルギーを受けとり、心を痛めている人もいるでしょう。エネルギーをキャッチした人が、無意識に生きている場合は、痛みのエネルギーを発している人を攻撃しなければならない、傷つけなければならない、という強迫観念に駆られたりもします。わたしたちは、自分の内面の状態にふさわしいものを引きよせ、現実化しているのです。

たとえ、「逃げ場」はなくても、「痛みを克服する方法」は、必ずあります。ですから、痛みから顔をそむけてはなりません。それに立ち向かうのです。それを十分に感じるのです。それについてあれこれ考えるのではなく、感じるのです。必要ならば、それを表現しましょう。ただし、頭の中でシナリオを書くのはやめましょう。痛みの原因と思われる人物、出来事、状況に、注意を向けるのではなく、注意をすべて感情に向けるのです。

思考は、痛みをもとに「被害者アイデンティティ」をつくりだそうとしますが、そうさせてはなりません。自分を哀れに思い、人に「かわいそうなわたし」の話をすると、自分で自分を、苦しみという檻の中に閉じこめてしまうからです。痛みから逃げることはできませんから、痛みを変える唯一の方法は、痛みの中にはいりこむことです。そうしなければ、なにもかも「旧態依然《きゅうたいいぜん》」です。

頭でレッテルを貼らずに、自分の感情に、意識のすべてを向けるのです。心の中にはいる時には、かなり注意が必要です。最初、そこは、真っ暗で恐ろしい場所に思われるからです。きびすを返してそこから逃げ出したい衝動に駆られても、ぐっとこらえ、観察しましょう。痛みを観察しつづけましょう。悲嘆、恐れ、恐怖、孤独、そこにあるものがなんであれ、それを感じつづけましょう。気を抜かずに集中し、「いま」に在りましょう。全身の細胞すべてでもって、「いま」に在りましょう。こうすることで、暗闇を光で照らしているのです。これが意識の炎です。

この段階では、「わたしは、ほんとうに痛みを手放しただろうか？」と心配する必要はありません。「手放し」は、すでに成功しているからです。どうしてか、おわかりですか？　「完全に意識を向けること」自体が、すでに「完全に受けいれること」であり、「手放すこと」だからです。意識を完全に向けることで、「ほんとうの自分」のパワー、「いまのパワー」を使ったのです。このパワーを使えば、抵抗は消え去るよりほかに道がありません。「いまのパワー」は、時間を取りのぞくからです。時間がなければ痛みなどのネガティブ性は一切、心に住むことはできません。

苦しみを受けいれることは、「死への旅」と表現することもできます。深い痛みを経験した時に、それをありのままに受けいれ、意識を向けることは、自分の意思で「死」の中にはいっていくことだからです。この「死」は、もちろんわたしたちがふだん使っている死とは意味が違いますが、この「死」を体験してしまうと、一般的な意味での死など、もともと存在しない、ということに気づきます。この気づきによって、結果的に「自分には、恐れるべきものなど、なにひとつないのだ！」という認識に到達します。死ぬのはエゴだけです。

太陽の光線の一筋が、太陽の一部だということを忘れ、太陽以外のなにものかになろうとしたり、太陽以外のアイデンティティを守ろうと、必死になったりするような錯覚をするところを想像してごらんなさい。このような思い違いがなくなれば、途方もなく大きな解放感が得られるとは思いませんか？

楽な「死」を望んでいますか？　痛みにもだえ苦しむことがない「死」があればいいのに、と思いますか？　それなら、すべての瞬間に過去を捨て去りましょう。そして「ほんとうの自分」だとみなしている、重苦しい、時間にしばられた「にせの自分」を「在る意識の光」で輝きに変えるのです。

第7節　苦難を通してさとりをひらくこと

問い　耐えきれないほどの苦しみのさなかに、神を見いだしたという人の話をよく耳にします。キリスト教の表現、「十字架の道」というのも、同じことを意味しているのではないですか？

答え　ここではもちろん、あなたのおっしゃるような、苦しみをとおしてさとりをひらくことについてお話ししています。ただ、厳密に言うと、人は苦しみをとおして、神を見いだすのではありません。苦しみは抵抗を意味するからです。強烈な苦しみによって、精神的に追いつめられて、やむを得ず「すでにそうであるもの」を受けいれ、「手放し」の境地に至り、神を見いだしたのです。その人たちは、苦しみは自分でこしらえたのだ、と心のどこかで気づいて、受けいれたに違いありません。

問い　「手放すこと」と、「神を見いだすこと」は同じことだとみなしていいのでしょうか？

答え　「抵抗すること」と思考は、表裏一体ですから、「抵抗をやめること」、すなわち「手放すこと」は、思考が「ほんとうの自分」になりすますゲームを終えたことを意味します。この時点で、すべての決めつけや、ネガティブ性が消え去ります。思考がおおいかくしていた「大いなる存在」の入口が大きく開きます。突如として、えもいわれぬほどの平和の感覚がわき上がってきます。しかもその平和は、素晴らしい喜びを包みこんでいるのです。さらに、その喜びは、愛を包みこんでいます。さらにその中には、名づけることのできない、人間の想像をはるかに超えた神聖な核があります。

わたしはこれを、「神を見いだすこと」とは、呼びません。わたしたちのもとを、一瞬たりともはなれたことなどなく、わたしたちの生命そのものである「それ」を、どうやって見つけるのですか？　神という言葉は、数千年にわたる誤用や誤解釈で、きゅうくつな表現になってしまっただけでなく、自分以外の存在を暗示してしまうものです。

しかし、真実は違います。神は「存在するすべて」であって、わたしたちから独立した存在ではありません。そこには二元性はなく、「わたしと神」といったような、「主体―客体」の関係はありません。神を知ることは、わたしたちにとって、もっとも自然なことなのです。驚くべき、そして理解しがたい事実は、「人間は、神を知ることができる」ということではなく、「人間が神を知らない」ということなのです！

あなたのおっしゃった、「十字架の道」は、さとりをひらくための旧式の方法で、つい最近までは、それが唯一の方法でした。ただし、それを度外視したり、その効果を過小評価したりしないでください。その方法でもまだ、さとりをひらくことは十分に可能だからです。

「十字架の道」は、一八〇度の大逆転です。それは「人生で最悪の出来事」、すなわち苦難（十字架）が、わたしたちを、「手放すこと」へ、「空」になることへ、神に近づくことへ（神もまた「空」ですから）と追いつめ、「人生で最高の出来事」に変わってしまうことです。

大多数を占める無意識に生きる人たちの場合は、いまのところ、「十字架の道」が、さとりをひらける唯一の方法です。しかし、さとりをひらくために、苦しみを必要としないほど、意識のレベルが高まった人間の数も着実に増えています。あなたもそのうちのひとりかもしれませんね。

苦しみをとおしてさとりをひらく方法、「十字架の道」は、嫌がる人を、無理強いで天国に押しこむようなものです。痛みが耐えきれないために、やむなく「手放すこと」を決断するのです。この場合、さとりをひらくまで、かなり長いこと痛みがつづくこともあります。

一方、過去と未来へのしがみつきをやめ、「いま」を人生の中心に据える人は、自らさとりをひらくことを選ぶ人です。時間に生きることではなく、「いまに在る」ことを、いつも選びます。「すでにそうであるもの」を「Ｙｅｓ！」と言って、受けいれます。この道を選ぶと、痛みとは無縁でいられます。

この選択をするために、もっと時間が必要だと思うなら、必要な時間はいくらでもあります。ただし、そのあいだに痛みも味わうことになります。時間と痛みを切りはなすことはできません。

第8節　「選択すること」の意味を知っていますか？

問い　なぜ世の中には、苦しみを率先して選択しているとしか思えない人たちがいるんでしょう？　わたしの友人で、パートナーから暴力をふるわれている女性がいるのですが、彼女は以前のパートナーとも、似たような問題を抱《かか》えていました。なぜ彼女は同じタイプの男性ばかり選んでしまうんでしょう？なぜ、すぐにでもそんな状況から、脱け出そうとしないんでしょう？　たくさんの人が、彼女のように、自分から痛みを選択するのは、どうしてなんですか？

答え　「選択する」という言葉は、ニューエイジ派が好んで使うものですが、このケースでは、意味合いから言って、「選択する」という表現は、妥当ではないでしょう。「機能不全な人間関係やネガティブな状況を、自分の人生に選択する人がいる」というのは、誤解を招く表現です。「選択する」という言葉は、本来、意識の活動、それも高いレベルの意識の活動を意味しているからです。意識の活動ぬきでは、わたしたちは、ほんとうはなにも選択していないのです！　「いま」に在ることによって、思考のリアクションのパターンを、自分から切りはなすことができるようになってはじめて、ほんとうの意味で「選択する」という行為が、可能になるのです。

ほんとうの意味で「選択する」ことをしていない人は、精神世界的な表現をするなら、「無意識に生きている」のです。パターン化した思考が、その人の思考、感情、行動を決めているようなものだからです。イエスが、次のように言われたのは、これが理由です。「彼らを許しなさい。彼らは自分がなにをしているか、わかっていないのです」

ある人が「無意識」かどうかは、一般的な意味の知性とは、関係ありません。わたしはこれまで、知性と教養が豊かであると同時に、完全に無意識な、つまり、自分の思考に人生をコントロールされている、たくさんの人たちを見てきました。実のところ、頭脳の発達と知識の吸収は、意識の発展とうまくバランスがとれていないと、不幸や惨事を生む可能性が、非常に大きいのです。

あなたの友人は、パートナーから暴力をふるわれ、身動きがとれない状態にあり、しかも、いつも、それをくりかえしているのですね。なぜでしょう？　彼女は「選択していない」からです。過去の経験をパターン化する思考は、自分にとってなじみのあるものを、創造しようとするからです。たとえ、それが痛ましいものでも、少なくとも思考には、親しみが持てるのです。

思考は常に、既知のものにくっつこうとします。思考にとって、未知のものはコントロールがきかないため、危険なのです。これが、思考が「いま、この瞬間」を嫌がり、無視しようとする理由です。「いま」に在ると、思考の活動にすきまをつくるだけでなく、「過去—未来」という一本につながった時間軸にも、すきまをつくります。そのすきま、「無限の可能性を秘めた、クリアーな空間」以外からは、ほんとうの意味で新しく、創造的なものは、誕生できません。

あなたの友人は、思考とひとつになっているために、親密な関係と暴力が結びついた、過去の経験をパターン化し、追体験しているのでしょう。あるいは、なにかの出来事をきっかけに、「わたしは価値がないので、罰せられて当然」という思考が幼少期に刻《きざ》みこまれ、それに基づいて行動しているということも考えられます。負の感情である、ペインボディとひとつになって、人生を生きている、ということも可能です。ペインボディは、いつもさらなる痛みを求めているのです。彼女のパートナーのほうは、うまい具合に彼女の無意識のパターンを補完する、独自の無意識パターンを持っているのです。

こうしてつきつめていくと、彼女の状況は、彼女自身がつくっていると言えますが、厳密には、いったい彼女のなにが、似たような状況の創造をおこなっているのでしょう？　それは、過去の体験によって、パターン化された思考と感情です。

あなたの友人に、思考と感情を観察する方法を教えてあげてください。ペインボディについて説明し、それを自分から切りはなす方法を、教えてあげましょう。インナーボディに住まうエクササイズも、役に立つでしょう。「いまに在る」方法を知ることは、もちろん不可欠です。彼女に具体的に説明してあげてください。「いまに在る」ことができれば、彼女はパターン化した思考をストップさせられます。そうしてはじめて、彼女はほんとうの意味で「選択すること」ができるのです。

痛みや機能不全の人間関係を、自分から「選択する」人はいません。なのに、それが起こってしまうのは、過去を溶かせるほど本人が十分に「いま」に在らず、暗闇を照らせるほど、意識の光を発していないからです。完全に「ここ」にいないからです。まだきちんと、目を覚ましていないからです。それができるまでは、パターン化された思考が、人生をコントロールしてしまいます。

あなた自身も、その他大勢の人のように、パートナーと問題を抱えていて、相手の言動に怒りを抱いていますか？　もしそうなら、あなたは「相手は別の行動をとることができた」と、信じていることになります。自分には、いつも人が選択肢を持っているかのように思えるものですが、それは錯覚にすぎません。パターン化した思考が人生を動かしているかぎり、その人は「思考そのもの」なのです。その人に、選択肢はあるでしょうか？――ゼロです。その人は「ここ」にさえ、在《い》ないのですから。思考とひとつになっていると、機能不全は免れられません。程度の差こそあれ、ほとんど誰もが、この「病」をわずらっているのです。この事実に気づいた瞬間、人に対する怒りは消え去ります。どうして誰かの「病」に、腹を立てることができるでしょう？　「病」に対して抱くのにふさわしい唯一の心情は、「憐れみ」ではありませんか？

問い　とすると、誰も自分の言動に責任をとる必要がない、ということになりませんか？　そんな無責任な考え方には、ついていけませんよ。

答え　思考が人生をコントロールしていると、ほんとうの意味で選択していないので、無意識に行動してしまいます。すると、無意識の行動ゆえに、痛みや苦しみをこしらえてしまい、結局は無意識な行動による「ツケ」が回ってきて、自分自身も苦しむことになります。恐れ、衝突、問題、痛みの重荷を背負うことになるのです。

しかし、こうしてつくられた苦しみが、最終的に本人を無意識状態から引っぱり出す可能性も、もちろんあります。

問い　あなたが「選択すること」についておっしゃったことは、「許し」についても、当てはまるのではないですか？　「完全に『いま』に在り、執着を捨てなければ、人を許すことはできない」。そうじゃありませんか？

答え　「許し」は、過去二千年にわたって使われてきた言葉ですが、ほとんどの人は、この言葉について、とても限られた見解しか持っていません。「ほんとうの自分」のアイデンティティを、過去から引き出しているうちは、他者はもちろん、自分自身をも、ほんとうの意味で許していないのです。わたしたちの、唯一のパワーの源である、「いま」につながってはじめて、真の許しができるのです。「いま」につながれば、過去は無力になり、自分がこれまでしたこと、されたことは「ほんとうの自分」という輝かしい本質を傷つけるどころか、それをかすりもしなかったのだと、心の奥で気づきます。すると、「許し」という概念そのものが、不必要になります。

問い　では、どうしたら、その境地に到達できるんでしょうか？

答え　「すでにそうであるもの」を受けいれ、完全に「いま」に在れば、過去はパワーを失ってしまいます。過去など必要なくなるのです。「いまに在ること」、これがなによりも肝心です。

問い　自分がほんとうに「手放すこと」、「執着を捨てる」境地に達したかどうか、どうやってわかるのですか？

答え　わたしとこの問答をする必要がなくなった時ですね。

[著者プロフィール]

Eckhart Tolle
エックハルト・トール

ドイツ生まれ。13歳までをドイツで過ごす。ロンドン大学卒業後、ケンブリッジ大学研究員および指導教官となる。29歳の時、その後の人生を180度転換させるほどの劇的な霊的体験をする。以降数年間はこの時の体験を理解し、深め、知識として統合するための研究に費やし、魂探求の道を歩みはじめる。ここ10年間はカウンセラー、指導者として活躍。現在は世界各地で講演活動も精力的におこなっている。本書を通じて彼の教えは世界中に広まりつつある。1996年よりバンクーバー(カナダ)在住。

[監修者プロフィール]

飯田史彦（いいだ　ふみひこ）

人間の価値観について研究する経営心理学者。国立福島大学経済学部助教授、INTERCULTURAL OPEN UNIVERSITY（オランダ）名誉教授、米国経営学博士。著書に、100万部を超えるベストセラーとなった「生きがい論」シリーズとして、代表作『CD付き新版　生きがいの創造』（PHP研究所、2003年３月）のほか、最新刊『生きがいの真実～人間・人生・宇宙を語る』（PHP研究所、2003年６月）、『生きがいのマネジメント』、『生きがいの本質』、『ブレイクスルー思考』、『愛の論理』（いずれもPHP文庫）などがある。ひとりの研究者として、あらゆる思想・宗教団体からの中立を守っている。

[訳者プロフィール]

あさり　みちこ

青森県弘前市生まれ。翻訳家。1993年よりカナダに在住。以後、現地発行紙記者として活動するほか、政府刊行物、法律文書など幅広い翻訳に携わる。現在は、拠点を弘前に戻し、癒し、精神成長、健康に役立つ書の発掘とその翻訳を中心に活動中。訳書に『本当の自分をみつける旅』（太陽出版）『自分をとりもどす魔法の言葉』（徳間書店）がある。

さとりをひらくと人生はシンプルで楽になる

第１刷———2002年６月30日
第26刷———2024年５月10日

著　者———エックハルト・トール
監修者———飯田史彦
訳　者———あさりみちこ
発行者———小宮英行
発行所———株式会社徳間書店
東京都品川区上大崎3-1-1目黒セントラルスクエア　郵便番号141-8202
電話　編集（03）5403-4344　販売（049）293-5521
振替00140-0-44392
印　刷———本郷印刷（株）
カバー印刷———半七写真印刷工業（株）
製　本———大日本印刷（株）

本書の無断複写は著作権法上での例外を除き禁じられています。
購入者以外の第三者による本書のいかなる電子複製も一切認められておりません。

©2002 ASARI Michiko, Printed in Japan
乱丁・落丁はおとりかえ致します。

ISBN978-4-19-861532-1

エックハルト・トールの本

徳間書店

お近くの書店にてご注文ください。

エックハルト・トールの本
5次元文庫

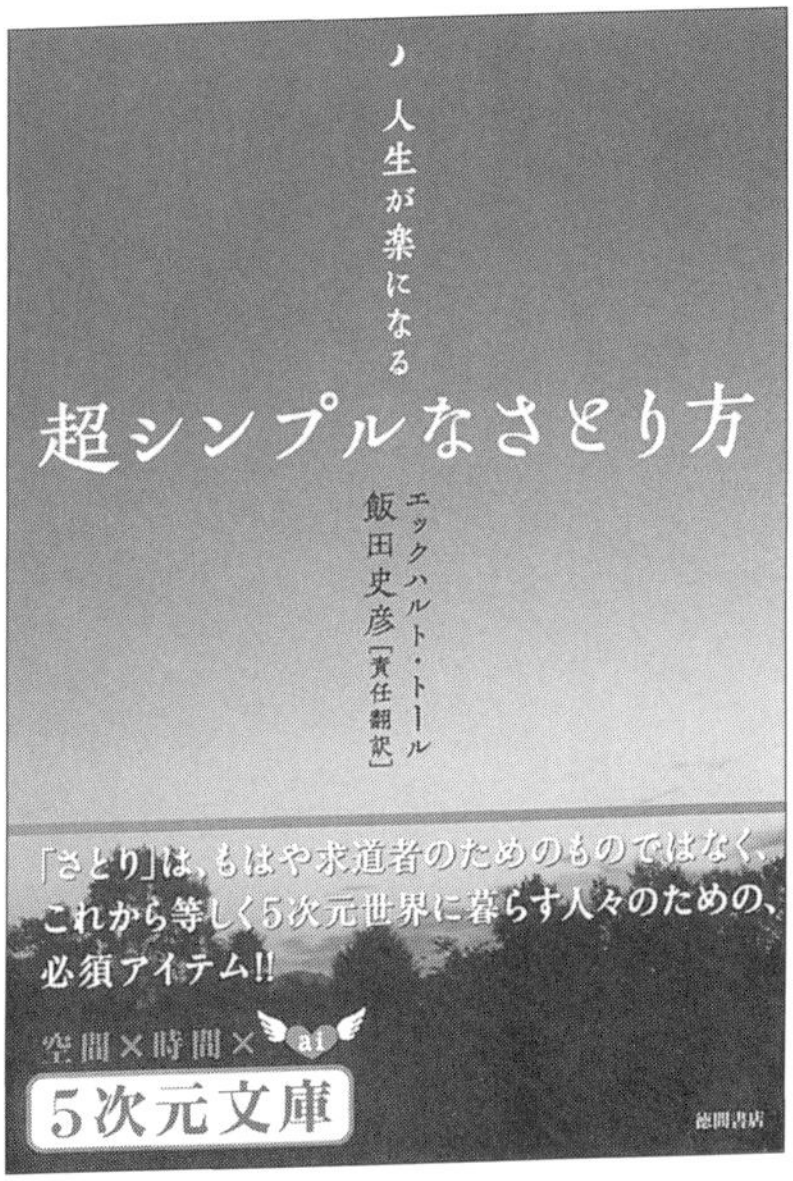

お近くの書店にてご注文ください。

エックハルト・トールの本
最新刊！

あなたとあなたの愛する人に、
癒やしとやすらぎを

あなたに必要な言葉を、導きの
写真とともに届けます。

［訳］山川紘矢＋亜希子

お近くの書店にてご注文ください。